LES MESSAGERS DE
L'OMBRE

Liz Maverick

LES MESSAGERS DE L'OMBRE

2176 - 3

*Traduit de l'américain
par Catherine Frémov*

Titre original :

THE SHADOW RUNNERS
A Love Spell Book

© Elizabeth A. Edelstein, 2004

Pour la traduction française :
© Éditions J'ai lu, 2006

Je dédie ce livre aux filles, et surtout...

À Susan Grant. Tu as tout compris.
C'est toi, l'héroïne casse-cou.
Merci pour tout.

À Catherine Yardley. Je te l'avais bien dit. Merci, Moe.

À Laura Bradford. 1ᵉʳ jour. Merci, Pickle.

Et mille mercis à Carolyn Jewel et Gabrielle
Pantera pour leurs informations sur la Régence.
Tout écart (involontaire) concernant les événements
historiques ne serait que de mon fait.
Quant aux volontaires, ils le sont également,
mais... enfin, vous verrez.

1

Bidonville de Macao, 2176

Personne ne choisissait de vivre ainsi à moins d'y être obligé, mais tout dépendait de ce qu'on était prêt à faire pour s'en sortir. Jenny avait beaucoup changé d'avis sur ce point. Étonnant comme la vie pouvait chambouler votre échelle de valeurs…

Le vendeur qui lui faisait face se racla la gorge avec impatience tandis qu'elle examinait son maigre étalage. Impassible, elle souleva le pain du sandwich à l'aide de la gueule de son pistolet paralysant pour jeter un coup d'œil à la garniture. Ces temps-ci, à Macao, les ersatz de viande n'avaient rien d'alléchant, mais Jenny venait de dépenser sa dernière poignée de pièces d'inox, or elle avait besoin de se sustenter à moindre coût.

Elle s'était toujours efforcée d'échapper à ce genre d'endroit. Excepté l'année qu'elle avait passée au palais, mais… franchement, lorsque l'herbe était plus verte de l'autre côté, mieux valait ne pas avoir la possibilité de regarder par-dessus la clôture.

Elle désigna un second sandwich. Oui, l'ignorance pouvait se révéler une bénédiction parfois. Surtout en matière de viandes synthétiques.

Elle souleva l'index de sa main qui tenait l'arme.

— Je veux ces deux-là. Et pas d'arnaque !

Le vendeur considéra d'un œil mauvais les pièces qu'elle lui tendait de sa main libre.

— Vous n'avez rien d'autre ?

— Non. Vous prenez ou pas ?

Avec un grognement, il s'empara de celles qui lui paraissaient le plus cuivrées et les mit dans une pochette graisseuse.

Jenny s'essuya la main sur sa veste, puis s'avisa que celle-ci n'était pas plus propre. Haussant les épaules, elle glissa son revolver dans l'étui accroché à sa cheville, attrapa les sandwichs, en fourra un dans sa bouche. Puis elle tira une flasque de sa ceinture et fit passer le tout d'une rasade d'alcool mêlé d'antibiotique, à la fois pour combattre toute nouvelle forme de bio infection et toute trace de goût.

Elle mangeait rapidement, les doigts crispés sur son grand sac à bandoulière, parcourant des yeux la foule qui grouillait sur la place et guettant le moindre son inhabituel en provenance du pont de l'autoroute au-dessus de sa tête, ou du ciel. Jamais elle ne parvenait à se débarrasser de l'obsédante impression d'être observée.

Naturellement, les gens alentour ne se privaient pas de contempler les femmes appétissantes.

Mine de rien, elle pivota lentement sur ses talons. Regarder avec attention en feignant de ne rien voir. Et si on voyait quelque chose, ne pas réagir... ne *pas* réagir...

Bon, c'est qui, ça ?

Ce type paraissait trop propre sur lui pour le quartier. Trop à l'aise, trop bien nourri. Et ses armes étaient beaucoup trop neuves.

Elle lui lança un deuxième coup d'œil, si rapide que s'il n'avait été déjà en train de la fixer, leurs regards ne se seraient pas croisés.

La bouche sèche, elle s'exhorta au calme. Elle ne s'était que trop souvent ridiculisée en réagissant de manière excessive. La paranoïa était considérée comme une maladie mentale capable d'infecter des foules entières, avec les conséquences mortelles que cela supposait. Jenny s'immobilisa face à la baraque à sandwichs, à peine consciente de tellement serrer son pain qu'elle y enfonçait les ongles. Elle passa mentalement en revue ses jobs les plus récents, les gens qu'elle y avait rencontrés… ceux pour qui elle avait travaillé… ou qu'elle aurait agacés…

Ça pouvait être n'importe quoi, mais il n'empêche qu'elle en revenait toujours à la seule éventualité plausible : le Parlement. Et s'ils avaient fini par la repérer ?

Certes, elle avait tué un des leurs, mais en état de légitime défense. Un homme. Un drôle d'individu. Et si elle était à leur place, elle aussi chercherait encore la coupable.

Les membres du Parlement sortaient rarement de leur sphère d'influence, même pour régler un conflit, mais – Jenny se mordit la lèvre – dans son cas, le meurtre en valait peut-être la peine. D'un point de vue stratégique, ils devaient estimer que faire d'elle un exemple était un moyen comme un autre de maintenir l'ordre, de conserver Newgate, et même toute l'Australie, sous leur botte.

Cette pensée la fit frémir. Ces gens-là… à peine des êtres humains. Plutôt des brutes sans âme, des têtes brûlées qui ne supportaient la vie qu'à travers les vapeurs de l'opium. De sinistres personnages qui se la jouaient aristocrate en singeant une époque depuis longtemps révolue : la Régence anglaise du début du XIXe siècle. Et, bien que les membres du Parlement n'exercent qu'un faible pouvoir sur le reste du monde, ils dirigeaient la ville de Newgate d'une main de fer.

Elle commençait à croire qu'ils l'avaient oubliée, reléguée au rang de quantité négligeable, indigne de recevoir la visite d'un tueur… et voilà qu'elle se trouvait de nouveau une bonne raison de surveiller ses arrières.

Elle sentit soudain un imperceptible changement d'atmosphère tandis que la place du marché se vidait lentement derrière elle. Une goutte de sueur roula le long de sa colonne vertébrale. Le vendeur regardait droit devant lui, quasi pétrifié, comme s'il tentait de se rendre invisible par la seule force de sa volonté.

Jenny se racla la gorge pour attirer son attention et l'interrogea du regard. Si les habitants des bidonvilles de Macao avaient quelque chose en commun, c'était bien leur aversion pour les étrangers.

L'homme cligna des paupières, hocha brièvement la tête ; puis, saisissant un plateau vide, il s'en fit un bouclier et plongea vivement derrière le comptoir, répandant de la nourriture sur le sol au passage.

Jenny en profita pour filer à gauche, en direction de la foule. Se frayant un chemin à coups de coude, elle fonça vers le bloc de béton qui délimitait la place, se hissa dessus. Elle sentit à peine le ciment lui égratigner la paume tandis qu'elle retombait accroupie de l'autre côté. Se redressant, elle se mit à courir tout en essayant de s'emparer de son arme. Celle-ci lui échappa ; elle s'arrêta le temps de la ramasser, puis repartit ventre à terre. Elle connaissait ces ruelles comme sa poche et supportait bien la pollution. Elle n'aurait pas de mal à semer le grand costaud qui la poursuivait.

Son sac lui heurtait le dos en rythme, mais elle préférait ne s'en débarrasser qu'en cas d'extrême urgence, car il contenait toutes ses possessions : quelques vêtements miteux, une trousse de secours et des munitions… rien qui puisse l'aider pour l'heure. Il y avait aussi deux minables explosifs dont elle n'avait même pas les détonateurs.

Sans cesser de courir, elle jeta un coup d'œil par-dessus son épaule et vit son poursuivant sauter la barrière de béton avec une aisance surprenante. En outre, il parlait dans un communicateur. Pas bon, tout ça !

S'engouffrant dans une autre ruelle, elle se plaqua contre le mur, glissant gauchement le long des briques visqueuses.

Des pas lourds résonnèrent à peu de distance.

— Arrêtez! lança une voix.

Arrêtez? C'est ça, oui! Que fait-on quand un énorme abruti armé d'un pistolet vous crie de vous arrêter? On décampe. En espérant être un meilleur tireur que lui. Jenny fit soudain volte-face et, en s'efforçant de contrôler les tremblements de ses membres, fit feu dans l'angle, au jugé. La gueule de son revolver émit une vague étincelle, hoqueta, puis se tut.

Lâchant une bordée de jurons, elle frappa l'arme du plat de la main, l'agita désespérément, puis réessaya.

— Jenny Red!

Cette fois, le revolver fonctionna, crachant un éclair droit dans la ruelle. Dans le mille! Le gros lard grogna, recula en titubant et s'écroula sur le sol. Mais il aurait vite fait de reprendre ses esprits.

Jenny leva les yeux vers le ciel encombré par la circulation. En quête d'inspiration sinon d'un miracle. Le soleil s'apprêtait à se coucher derrière les nuages de pollution déjà éclairés par des néons rose et orange vifs. Un hélicoptère tournait en rond au-dessus de sa tête. Il devait y avoir une aire d'atterrissage sur un toit voisin. Si elle y parvenait à temps, elle aurait une chance.

D'un regard circulaire, elle chercha une échelle de secours, en repéra une sur le gratte-ciel d'en face et se rua dans sa direction.

Elle y grimpa et risqua un regard en bas à mi-parcours. Le gros commençait à se relever, secouant la tête tel un chien qui s'ébrouait. Au temps pour le revolver paralysant! Dégoûtée, elle tâcha d'accélérer l'allure.

— Ne vous sauvez pas!

L'homme s'arrêta abruptement, comme si cela suffisait pour paraître amical. Il pouvait toujours rêver! En plus, à force de brailler son nom, il allait finir par alerter tous les chasseurs de primes à la ronde. Car elle ne doutait pas un instant que le Parlement ait mis sa tête à prix.

— Jenny Red !

D'accord, d'accord, il connaissait son nom ! Ou plutôt, ce qui lui servait de nom. Elle avait perdu le vrai depuis des lustres, depuis qu'il ne désignait plus rien de tangible ; pour ce qu'elle avait eu de famille, de toute façon… Elle gardait un vague souvenir de son père, qui ne s'était intéressé à elle que parce qu'elle facilitait ses petites combines. « Red », c'étaient des potes de vache enragée qui l'avaient surnommée ainsi, à cause de ses cheveux roux.

— Jenny Red !

La voix du gros la fit tressaillir. Il remontait la ruelle à une vitesse impressionnante. Jenny continua son ascension qui n'en finissait pas.

Elle devait peser trente-cinq kilos de moins que lui et elle commençait à manquer d'air. Étant donné sa corpulence, si ce type parvenait à se déplacer à cette allure dans une atmosphère aussi polluée, c'était qu'il disposait de pilules d'oxygène. Il devait avoir un patron très riche pour pouvoir se payer un tel luxe. Pas bon du tout. Essayer de se débarrasser de lui apparaissait soudain bien trop risqué.

La sueur imprégnait à présent ses épais vêtements de protection. Elle se hissa sur le toit du bâtiment et ravala une bouffée nauséeuse provoquée par l'altitude et la pollution.

En dessous d'elle, les lourdes semelles claquaient en rythme sur les barreaux de l'échelle. Jenny se concentra sur l'hélico arrêté au milieu du carré. Comme le pilote en descendait, elle tira son revolver paralysant de son étui.

Un coup d'œil latéral lui apprit que son poursuivant avait posé le pied sur la plateforme.

Le souffle court, en nage, elle dirigea son arme sur lui. Le gros homme s'immobilisa. À mieux y regarder, il ne portait pas l'écusson de Newgate. Ce qui ne la soulagea pas pour autant. Le Parlement pouvait très bien avoir embauché un mercenaire. D'ailleurs, son fort accent japonais prouvait qu'il devait venir du coin. Les cheveux noirs ras, le visage anguleux, les sourcils froncés, il n'avait rien de très inquiétant. Non, ce qui préoccupait Jenny, c'était plutôt sa carrure de bulldozer. D'un seul coup de poing, il devait vous envoyer valser dans les airs…

Il leva lentement son arme :

— Je suis…

Elle n'attendit pas qu'il se présente. Tournant les talons, elle fonça vers le pilote. C'était parti pour un détournement.

En un éclair, le gros fut sur elle. Elle vit le sol arriver vers elle à toute vitesse et son revolver filer en tourbillonnant. Pliant la jambe, elle lui décocha un violent coup de pied. Un hurlement de douleur lui indiqua qu'elle avait atteint sa cible.

Ce qui n'empêcha pas son adversaire de la plaquer au sol.

— Continuez à gaspiller votre oxygène, lui souffla-t-il à l'oreille, et dans cinq minutes, vous serez en train de délirer.

Il avait raison, aussi cessa-t-elle de se débattre.

Il soupira :

— Sa Seigneurie ne va pas apprécier.

Sa Seigneurie ?

Jenny tourna la tête vers l'hélico.

Le moteur rejetait ses vapeurs nauséabondes tandis que le pilote s'approchait d'eux, son long manteau de cuir gris anthracite lui battant les mollets. En dépit des verres sombres qui lui dissimulaient la moitié du visage, il avait quelque chose d'implacable… et de familier. L'emblème impérial des Han, habituellement coulé dans le platine, serpentait sur sa manche. Elle ne connaissait qu'une personne susceptible de le porter ainsi.

Deck !

D'ekkar Han Valoren, ex-prince, descendant de la monarchie Han, se dirigea vers les deux corps aplatis sur le ciment, inclina la tête de côté et ôta ses lunettes.

— Jenny Red. Quel plaisir !

Si son regard était aussi dur que dans son souvenir, sa douce voix grave lui faisait toujours autant d'effet.

— Désolé, monsieur, s'excusa le gros en se relevant. Elle s'enfuyait…

Deck tendit une main gantée de soie à l'épreuve des balles. Jenny accepta son aide sans le quitter des yeux.

— Tu sais, tu aurais pu… je ne sais pas, moi, m'envoyer une lettre. Ou téléphoner. C'est quoi, ce cinéma ?

Le gros s'agita derrière eux. Elle sentait son souffle sur sa nuque. Délicieux ! Apparemment, il n'appréciait pas qu'elle se comporte de manière aussi désinvolte avec son patron. Ce en quoi il avait sacrément raison. Elle avait passé assez de temps au palais Han pour savoir qu'il fallait s'adresser aux membres de la famille royale avec mille salamalecs, alors même que ceux-ci ne se tenaient pas mieux que les clodos des bas-fonds de Macao.

Deck pouvait inspirait du respect, et même de la crainte aux autres. Mais pas à elle. Plus jamais. Il avait beau être le demi-frère du prince Kyber, lié à l'une des plus puissantes monarchies du monde, à ses yeux, il n'était que Deck, ce fils bâtard, le mouton noir de la famille royale, l'éternel révolté.

Sans parler de la séduction qu'il avait toujours exercée sur elle – la réciproque n'étant malheureusement pas au programme ! Et voilà que cela tournait au… Allez savoir ?

Il lui prit les mains et les retourna, paumes en l'air. L'une était à peu près intacte, l'autre salement écorchée. Il retira un éclat de gravier fiché dans sa chair avant qu'elle ne se dégage.

— Charmant personnage ! maugréa-t-elle en désignant le gros du menton pour masquer sa confusion.

Dans l'enceinte du palais, nul ne pouvait seulement effleurer du petit doigt un membre de la famille royale. Et vice versa, semblait-il. C'était seulement la deuxième fois de sa vie qu'il la touchait.

— Jenny, je te présente mon associé, Raidon. Raidon, voici une vieille amie, Jenny Red.

— Enchantée. J'ai pour règle de toujours connaître le nom de la personne allongée sur moi, grommela-t-elle en essuyant son nez où perlait une goutte de sang.

Deck porta la main à sa poche de poitrine. Machinalement, elle tressaillit, sur la défensive. Il haussa un sourcil, puis sortit calmement un mouchoir blanc qu'il lui tendit.

— Toujours prêt à dégainer, maugréa-t-elle.

Réflexion qui ne parut pas plaire à l'intéressé :

— Avec qui ?

— Avec personne.

Non sans un regard méfiant vers le dénommé Raidon, elle rendit à son propriétaire le mouchoir maintenant souillé.

— Garde-le en souvenir, suggéra Deck.

Elle le rangea dans sa poche tout en calculant mentalement combien elle pourrait en tirer, d'autant qu'il était en fibres naturelles, et brodé aux armes de la famille régnante.

— Alors, Deck, qu'est-ce qu'on fait là ?

— On t'emmène. Prête ?

Du menton, il désigna l'hélico. Jenny se renfrogna :

— Désolé, mais ça ne marche pas. Il ne suffit pas de me siffler pour me faire bouger. Qu'est-ce que tu veux ?

Il poussa un soupir agacé.

— Deux choses. D'abord te parler. Ensuite ne pas gaspiller trop de carburant.

Elle le fusilla du regard sans souffler mot.

— J'ai besoin que tu viennes avec moi, insista-t-il. Ce n'est pas un endroit pour discuter. On est à découvert depuis trop longtemps déjà.

Incapable de résister à la tentation de le pousser à bout, elle objecta :

— Ça fait deux ans que je vis dans ce trou pourri, et voilà que la… la fichue brigade royale me retrouve miraculeusement, et que je suis censée tout laisser tomber pour te suivre. Tu peux me dire en quel honneur ?

Il sortit tranquillement son arme et la lui pointa sur le front.

— En cet honneur-là ! Et peut-être aussi parce qu'on mange mieux chez moi que chez toi.

Même Raidon en sursauta de surprise.

Jenny déglutit, puis, sortant le grand jeu, elle leva les yeux au ciel, écarta lentement le canon de l'index et se gratta là où il l'avait touchée.

— Bon, puisque tu insistes. Juste une chose : je gagne quoi là-dedans ?

— D'abord un bain, répondit-il en la parcourant du regard de la tête aux pieds.

Elle rougit.

— La galanterie ne t'a jamais étouffé, tout prince que tu es. Va pour un bain, mais je veux aussi de la nourriture, des médicaments, des munitions… et toute l'eau que je pourrai emporter. Et cela, juste pour t'accompagner. J'offre en sus ma fabuleuse conversation. Gratuitement. Marché conclu.

Elle tendit la main, mais il ne la prit pas.

— Je te fais confiance, dit-il.

— Moi aussi, je me fais confiance. En ce qui te concerne, je serais moins catégorique. Tope là.

Avec un demi-sourire, il finit par lui serrer la main.

— Parole d'honneur !

Raidon escorta Jenny jusqu'à l'hélico, Deck sur leurs talons.

— On va loin ? lança-t-elle par-dessus son épaule.

— Pas tellement.

— Ça va prendre combien de temps ?

Deck s'installa aux commandes de l'appareil.

— J'ai juste une question à te poser. Le temps que ça durera dépendra de ta réponse.

Contrariée, elle laissa Raidon la sangler comme si elle était une petite fille incapable de s'en charger elle-même.

— Vas-y, pose ta question. Comme ça tu auras ma réponse avant d'avoir atterri.

Il la regarda dans le rétroviseur latéral.

— Tu as entendu parler de Banzaï Maguire ?

Gardant un œil sur elle, il enclencha l'accélérateur. Jenny se prit à espérer qu'il mettrait sa soudaine pâleur sur le compte de la force gravitationnelle.

2

Deck contemplait le ciel de Macao à travers la vitre blindée. Entre les buildings rectangulaires et les lasers éclairant les routes, un épais nuage de fumée noire s'élevait dans la stratosphère depuis les tuyaux d'épuration censés contrôler quelque peu le niveau de pollution des rues. Les rayons lumineux multicolores d'énormes néons clignotants illuminaient les particules qui s'échappaient en tourbillonnant de ces tuyaux. Deck ne connaissait que trop bien ces équipements, puisqu'il avait participé à leur élaboration. À l'époque, il était encore prince. La Maison des Han n'avait finalement pas donné suite à ce projet, mais il ignorait si c'était à cause de son coût, de sa complexité technologique ou simplement parce que Kyber s'en était désintéressé.

Il se frotta les yeux en soupirant. Cela semblait remonter à si loin !

Raidon s'éclaircit la gorge, et Deck se retourna :

— Elle a fini ?

— J'ai appelé, monsieur, mais elle n'a pas répondu. J'ai l'impression qu'elle n'a pas pris de bain chaud depuis un certain temps.

— Ça y est ! Tu la dorlotes déjà.

Il aurait dû se douter que son bras droit et garde du corps se laisserait émouvoir par la jeune femme dès qu'il se retrouverait en sa présence. Il en parlait comme d'une petite sœur depuis qu'il était chargé de la suivre.

— Nous avons le temps, s'entêta Raidon.

— Ne me regarde pas ainsi. Nous devons encore l'équiper avant de partir.

— À ce propos, j'ai déjà assez de mal à croire que nous pourrons nous défendre avec cet armement de carnaval... mais si on ne peut rien emporter d'autre ! Je crains vraiment pour notre sécurité, monsieur.

Deck étudia sur son agenda électronique la liste de ce qui lui restait à faire et tâcha de faire abstraction des récriminations de Raidon. Il ne savait que trop combien il manquait d'informations sur Newgate, en Australie ; cependant, nul n'ignorait que la technologie postérieure à la fin du XXIe siècle était interdite dans cette colonie pénitentiaire. Cela incluait les armes *et* les équipements défensifs. C'était compréhensible quand on pensait que la sécurité du monde dépendait du fait que ses résidents ne pouvaient s'en échapper.

Il ressentirait sans doute les choses différemment une fois là-bas, mais, pour le moment, l'idée de se retrouver coincé dans un territoire historique l'intriguait au plus haut point. Le dépaysement promettait d'être des plus amusants.

— Le but est d'y entrer sans se faire trop remarquer, rétorqua-t-il. Alors faisons ce que nous avons à faire, et basta !

Les yeux sur son inventaire, le gros partit d'un rire sarcastique :

— Un peu nerveux, pas vrai, monsieur ? On se demande bien pourquoi.

Dégoûté, Deck jeta son agenda sur le bureau.

— Tu sais très bien qu'il faut le faire ! Jenny est plus forte que tu ne le crois.

Il discutait de ça depuis une heure et commençait à se sentir ridicule. Mais il ne s'était pas attendu à la trouver dans un tel état. Et Deck n'était habituellement pas du genre à culpabiliser.

Au contraire de son garde du corps, il savait fort bien tenir ses émotions à distance. En fait, il était parvenu à oublier complètement Jenny pendant de longues périodes de temps. Et quand il pensait à elle, il ne l'imaginait pas menant une existence difficile dans les bas-fonds.

«Nous, les riches, n'aimons pas penser aux pauvres», songea-t-il, détaché. Ces dernières années, il n'avait vu Jenny que trois fois, lorsque Raidon l'avait prévenu qu'elle courait un danger. Apparemment, il ne s'était pas fait repérer, si bien qu'elle ignorait posséder un ange gardien. Bien sûr, ce dernier jouait sur les deux tableaux…

— Dans le cas présent, la fin justifie les moyens, conclut-il sombrement.

Raidon s'immobilisa, à la fois exaspéré et amusé.

— Qui essayez-vous de convaincre, monsieur?

— Raidon.

— Oui, monsieur.

— *Arrête* de m'appeler monsieur.

Haussant un sourcil, son garde du corps secoua la tête.

Deck détestait qu'on l'appelle ainsi, et plus encore qu'on fasse référence à ses liens de parenté avec le prince Kyber et la Maison des Han. «Votre Altesse» était hors de question puisqu'il était illégitime, mais son fidèle homme de main ne pouvait se résoudre à l'appeler autrement que «monsieur». Il lui arrivait à l'occasion d'employer le discutable «Sa Seigneurie» en parlant de lui. Cela dit, Deck lui laissait une certaine latitude à ce sujet.

Jenny, en revanche, c'était une autre histoire.

La première fois qu'il l'avait vue, c'était dans l'annexe du palais, au fin fond du quartier des domestiques. Fatigué des vues somptueuses offertes par les écrans holographiques, il était sorti s'aérer, comme il aimait à le faire. Il était tombé sur un groupe de servantes occupées à rafistoler les pièces détachées de quelque moteur. Toutes l'avaient salué poliment, mais seule une nouvelle aux longs cheveux blond-roux avait retenu son attention.

Appuyé au portail, il n'avait pu s'empêcher de la contempler. Elle avait soutenu hardiment son regard, de ses yeux bleu glacier, un mince sourire de défi se dessinant peu à peu sur ses lèvres.

Il avait gagné, bien sûr, et elle avait fini par baisser les paupières, mais surtout parce que ses compagnes lui envoyaient des bourrades plus ou moins discrètes en sifflant :

— Arrête ! N'oublie pas qui c'est.

Il n'aurait pas dû être choqué de la trouver aussi changée. Elle était sale, épuisée, déboussolée. Avec des coudières et des genouillères dépareillées, des vêtements usés jusqu'à la trame. Elle portait un vieux gilet pare-balles démodé qui lui montait jusqu'au cou, un pantalon de cuir démodé, ce qui expliquait pourquoi les éléments de son piètre arsenal étaient si visibles. Seul son comportement démentait toute attitude défaitiste. Deck avait eu la bonne surprise d'y lire surtout de la méfiance.

Elle semblait… plus dure encore. Sans doute avait-elle déjà souffert en arrivant au palais, ayant été traînée de taudis en taudis par un père inapte qui avait trouvé le moyen de gâcher leurs deux existences. Pourtant, elle avait jusque-là témoigné d'une certaine douceur qui semblait avoir désormais disparu. Elle était amère, probablement. Déçue. Comment le lui reprocher ? Quand on se rendait compte de ce que la vie avait à vous offrir, et que cela ne risquait pas de s'améliorer… il y avait de quoi abattre les plus solides. C'était, soupçonnait-il, la seule chose qu'ils avaient jamais eue en commun : ce sentiment d'être à l'étroit dans leur propre vie.

La différence de classe les avait irrémédiablement séparés dès le début. Au point de détériorer une amitié qui avait commencé comme un acte de rébellion et avait évolué jusqu'à devenir, du moins pour lui, une nécessité dont il ne comprenait pas totalement les raisons. Jenny ne s'était pas gênée pour lui faire savoir qu'elle le trouvait fou de refuser les fastes de la royauté, mais elle ignorait ce qui se passait réellement entre les murs du palais. Et il avait préféré le garder pour lui.

— Monsieur ? Vous disiez ?

— Pardon ? Ah oui !

Deck se frotta la mâchoire avant d'ajouter :

— Il vaudrait mieux ne pas informer Jenny que nous la surveillons de près depuis deux ans. Elle risquerait de ne pas apprécier.

Raidon eut un sourire ironique.

— Vous avez sans doute raison. Elle est plutôt indépendante. Cela dit, vous lui avez sauvé la vie à plusieurs reprises. Ça faciliterait peut-être les choses si elle découvrait qu'elle vous est redevable.

— Non, je préfère qu'elle n'en sache rien. Pour le moment, en tout cas. Du reste, qu'est-ce que cela changerait ? Elle ne me pardonnera jamais... mais ce n'est pas vraiment nécessaire, n'est-ce pas ?

— Non, en effet.

Le garde du corps s'éclaircit la voix avant d'enchaîner :

— Monsieur, a-t-on déjà discuté du fait qu'il valait mieux ne pas mélanger le plaisir et le travail ? Si la sécurité de cette jeune femme vous inquiète, je tiens à préciser que je suis prêt à continuer à veiller sur elle. Je ne suis pas du genre à me mêler de votre vie privée, mais Jenny...

Deck le fit taire d'un regard.

— À quelle heure est prévu le convoi, déjà ?

— Dans cinq heures, monsieur.

Reprenant son agenda électronique, Deck appuya sur quelques touches.

— J'ai bien tout ce qu'il faut ?

— Tout sauf la jeune femme, monsieur.

3

Les paupières closes, Jenny traînait dans son bain. Elle avait beau essayer de se détendre, elle n'y parvenait pas. Ainsi, Deck voulait savoir ce qui se disait dans la rue, si elle avait entendu parler de Banzaï Maguire. Ce qui signifiait qu'il était plus ou moins mêlé à cette histoire de révolution qui rendait tout le monde nerveux, ces derniers temps. Évidemment qu'elle avait entendu parler de Banzaï Maguire – celle qu'on avait surnommée « l'Esprit de la Révolution » – ainsi que des émissions de la « Voix de la Liberté », une « Voix de l'Ombre ». Mais rien de plus. Elle ne se mêlait pas de politique.

En revanche, elle se demandait pourquoi un homme, probablement encore assez riche pour acheter Macao bien qu'il soit brouillé avec la famille royale, s'intéresserait à une révolution roturière. Et d'abord, était-il pour ou contre ?

Connaissant le personnage, elle dirait plutôt pour.

Elle poussa un profond soupir et s'enfonça dans l'eau parfumée. Sa paume la brûlait affreusement, mais les nanoremèdes n'allaient pas tarder à la soulager. Il lui vint soudain à l'esprit que Deck avait peut-être glissé quelque drogue dans le bain moussant. Non, décida-t-elle après réflexion. Ce n'était pas son genre.

Rassurée, elle ajouta un peu de ce liquide suave qui ne demandait qu'à mousser. Et sentait drôlement bon !

La porte s'ouvrit sur Deck qui rangea dans sa poche la pince électronique dont il venait de se servir pour forcer le loquet. Il s'approcha de la baignoire, croisa les bras.

Abasourdie, Jenny finit par articuler :

— Tu joues à quoi, là ?

Elle désigna derrière elle le mur recouvert d'un écran :

— Tu aurais au moins pu utiliser l'hologramme !

— Voilà une heure que Raidon te demande de sortir de ce bain.

— Je n'avais pas entendu, mentit-elle.

Deck grimpa sur l'estrade et s'accroupit à l'extrémité de la baignoire translucide.

Jenny sursauta, répandant de l'eau et de la mousse sur le sol.

— Jamais tu ne respectes l'intimité des gens ? s'écria-t-elle, essayant de dissimuler son embarras derrière une façade agressive.

Sans la quitter du regard, il prit appui des deux mains sur le bord de la baignoire et se pencha jusqu'à ce que ses yeux soient au niveau des siens.

— Et maintenant ? fit-il. Tu m'entends mieux ? Ou faut-il que je sois plus près encore ?

Consciente de n'être revêtue que de quelques bulles parfumées, elle s'efforça de se ressaisir – en espérant que Deck n'avait pas remarqué que son apparition l'avait quelque peu déstabilisée.

— Si tu comptes me demander une faveur… commença-t-elle.

C'est gagné.

— … c'est définitivement raté.

— Dommage. Je vais devoir m'en tenir au plan A.

— S'il consiste à te rapprocher davantage que le plan B, tu risques de ne pas t'en tirer entier.

Il la gratifia d'un sourire sardonique avant de se redresser.

— Sors de là !

Ce disant, il lui lança une serviette qu'elle attrapa au vol.

— J'avais fini, de toute façon, déclara-t-elle en se levant hardiment.

Elle lui jeta un coup d'œil délibéré avant de s'envelopper dans le drap de bain.

Il ne détourna pas les yeux, se contentant de lui adresser un regard si appuyé qu'elle en vint à regretter qu'il ne lui ait pas donné plus de détails au sujet du plan B. Se sentant rougir, elle maudit intérieurement son teint de rousse.

Deck se racla la gorge :

— Raidon t'attend dehors. Il te conduira à mon bureau.

Elle attendit qu'il soit sorti avant de gagner la chambre où trônait un grand lit accueillant dans lequel elle ne dormirait sans doute pas ce soir. Sa maigre garde-robe avait été nettoyée, repassée, parfaitement pliée sur la somptueuse courtepointe de soie. Elle s'habilla, fourra le reste dans son sac, puis ouvrit la porte et faillit heurter Raidon qui était devant le battant, le dos tourné. Il lui sourit et l'escorta jusqu'au bureau de son patron.

La pièce ressemblait en tout point à son occupant, sévère, toute en couleurs sombres, mais décorée avec goût ; loin, très loin de l'opulence blanc et or du palais Han.

Jenny s'installa dans un fauteuil club de cuir noir et secoua la tête non sans amusement à la vue d'une coupe pleine de bonbons au beau milieu du bureau. Apparemment, Deck n'avait pas oublié à qui il avait affaire.

— Une friandise, fillette ? proposa-t-il avec un sourire taquin.

— Tu es vraiment dangereux, maugréa-t-elle en tendant la main.

Elle saisit un petit carré rose rayé de bleu turquoise et mordit dedans.

Un goût de framboise lui explosa dans la bouche. Cela faisait une éternité qu'elle n'avait rien mangé de tel. Deck ne la bouscula pas. Il contempla carrément ses lèvres tandis qu'elle y passait une langue gourmande. Lui rendant son regard, Jenny s'essuya sans vergogne la bouche de sa manche.

Il réprima un rire, se frotta les yeux. Jenny s'avisa alors qu'il avait des cernes et semblait vraiment fatigué.

— Aide-moi, Jenny, dit-il doucement. J'ai rempli ma part du marché. Alors dis-moi ce que tu sais.

— À quel sujet ?

— Les bruits qui courent.

— À quel sujet ? répéta-t-elle.

— Au sujet de la révolution.

Elle s'agita sur son siège.

— J'aurais pensé que toi, plus que quiconque, savais ce qu'il y avait à savoir. Tu peux acheter toutes les informations que tu veux.

— Je sais certaines choses, mais j'aimerais avoir ta version des faits.

— Je ne vois pas en quoi elle est plus intéressante qu'une autre.

En fait, elle voyait très bien. C'était l'ennui quand on vivait parmi les clodos : les secrets circulaient, même ceux qu'on ne voulait pas connaître. On avait beau être un criminel ou un agitateur, on finissait toujours par avoir besoin de se confier à quelqu'un. Deck comptait sur elle pour lui fournir des renseignements de première main.

Elle prit un autre bonbon et désigna la pièce :

— Où est-ce qu'on est ? Chez toi ?

— Pourquoi ?

— Ça appartient aux Han ou on est tranquilles ? Parce que j'ai peur des micros…

— C'est un de mes appartements secrets. Il n'a rien à voir avec la famille. Je te donne ma parole que personne ne nous écoute.

Sa parole ? Comme si elle avait de la valeur.

— Pourquoi est-ce que cela t'inquiète, de toute façon ? reprit-il. C'est moi qui t'ai amenée ici, non ?

Elle lui jeta un regard noir.

— Tu me parles de révolution et tu as le culot de me poser une question pareille ? On accuse les gens de haute trahison pour moins que ça.

Il demeura silencieux.

— Le bruit court que ceux qui ont la réputation d'en savoir trop sur cette histoire de révolution finissent par disparaître, lâcha-t-elle.

— Comment ça ?

— Il paraît qu'il y a des escadrons de je ne sais quoi chargés de faire « disparaître » les gens qui auraient participé à ce « mouvement ». Ça vient peut-être de Kyber. Ou de l'UCT. Ou alors, c'est juste une rumeur. J'aurais cru que tu étais au courant.

— Je n'ai jamais beaucoup fréquenté Kyber, biaisa-t-il.

— Si tu le dis…

— Qu'est-ce qu'on raconte d'autre ?

Elle haussa les épaules.

— Tu en as rencontré, de ces révolutionnaires ? insista-t-il. Parce que j'ai l'impression qu'il n'existe pas de meilleur endroit que les bas-fonds quand on veut passer inaperçu.

— Je ne pense pas que les bas-fonds aient jamais été « meilleurs » pour quoi que ce soit. Écoute, j'ai assez de problèmes comme ça. Je n'ai pas besoin d'y ajouter une accusation de trahison. Macao reste sous la coupe de Kyber, même s'il s'en contrefiche. Alors ce n'est pas avec toi que j'aurai des chances de me faire mieux voir. Tes questions, je les trouve un peu pénibles, si tu vois ce que je veux dire.

Deck se passa une main agacée dans les cheveux.

— La patience n'a jamais été l'une de tes qualités, commenta-t-elle.

— En effet. Ainsi, tu ne sais rien sur cette Banzaï ?

— Non.

Il parut hésiter, puis :

— Et sur un groupe appelé « les Messagers de l'Ombre » ?

— Les Messagers de l'Ombre ? Rien de bien précis. En fait, certains prétendent que cette femme n'a jamais existé et que ce groupe n'est qu'une bande qui se fait de la pub. Alors ces histoires de disparitions, c'est peut-être vrai, ou peut-être pas. Il y a des tas de raisons pour lesquelles les gens disparaissent dans ce genre de quartier.

Deck s'efforça de sourire.

— Ainsi, tu crois que cette rumeur ne serait qu'une invention ?

— Tu en sais plus que moi là-dessus.

— Qu'est-ce qui te fait dire ça ?

— Allons, Deck ! À moins que tu n'aies complètement coupé les ponts avec ta famille…

Elle désigna la pièce luxueusement meublée avant d'ajouter :

— Et franchement, j'en doute.

— D'accord, acquiesça-t-il. Et si je te disais que Banzaï Maguire existe vraiment ? Ainsi que la révolution ?

Sortant le mouchoir de son sac, elle y versa le contenu de la coupe de bonbons.

— Pour ce que j'en ai à faire… marmonna-t-elle.

Il haussa les sourcils.

— Ah oui ?

Fort occupée à envelopper son butin, elle déclara sur le même ton :

— Ouais. L'état du monde, les lendemains qui chantent, et blablabla, et toutes ces salades révolutionnaires, franchement, je n'y crois pas. Quand on se retrouve au bas de la chaîne alimentaire, on se moque plus ou moins de savoir qui est au sommet – ce sera toujours quelqu'un qui sera prêt à te croquer pour son petit-déjeuner. Tes soi-disant révolutionnaires et « représentants des masses » sont aussi susceptibles d'être corrompus que les dictateurs et leurs larbins.

— Peut-être. Mais cette fois, je crois que c'est différent.

Comme elle le considérait d'un air dubitatif, il ajouta :

— Et si je te disais qu'il existe bel et bien un groupe révolutionnaire appelé les Messagers de l'Ombre ? Et que j'en fais partie, et que je voudrais que tu travailles pour nous ?

Jenny ne put réprimer un haut-le-corps.

— J'aimerais que tu m'aides, poursuivit Deck en plongeant son regard dans le sien. Et en échange, j'aimerais t'aider.

Il y parvenait encore… Quoi qu'il fasse, il avait le don de la chambouler complètement. Et ça la mettait en rogne.

— Tu veux m'aider ? s'étonna-t-elle.

Elle eut un rire amer.

— Mais ça fait belle lurette que tu as laissé passer ta chance.

— Ça m'étonnerait, rétorqua-t-il.

Elle leva les yeux au ciel.

— À une époque, j'ai cru qu'on était amis. Mais je suis retombée sur terre depuis.

Il affichait une expression impénétrable. Impossible de savoir si l'idée le faisait sourire ou l'agaçait.

La dernière fois qu'elle avait vu Deck, elle enterrait son père.

Ç'avait été un enterrement de domestique, simple, presque à la dérobée, à bonne distance du palais. Elle lui avait fait ses adieux et puis les assistants s'étaient dispersés, et elle était restée seule sur une chaise, au milieu d'une prairie, son grand sac à bandoulière à ses pieds, une enveloppe contenant sa lettre de licenciement sur ses genoux, en fait un ordre d'exil vers l'enfer, accompagné d'un peu d'argent qui se dévaluerait à la vitesse grand V.

Elle voyait encore Deck marcher dans sa direction, prince jusqu'au bout des ongles, silhouette sombre se détachant sur la façade blanche du palais dans le lointain. Elle s'était levée, résolue à lui faire face la tête haute. Il s'était approché d'elle sans un mot, les traits tendus, puis l'avait soudain prise dans ses bras, une curieuse étreinte qui avait paru les surprendre tous les deux. Ç'avait été la première et la dernière fois qu'ils s'étaient touchés. Elle était parvenue à ne pas pleurer, ni à le supplier de ne pas les laisser la chasser ainsi.

Il savait ce qui l'attendait, mais il n'était pas intervenu. Il possédait tout l'argent du monde, mais il l'avait laissée affronter la pire misère. Quel genre d'ami était-ce donc ? Et pourquoi croire qu'il l'aiderait après tout ce temps ?

— Non, merci, lâcha-t-elle d'un ton neutre. J'ai déjà assez de problèmes pour ne pas me mêler en plus d'une prétendue révolution. Dans les bidonvilles, on n'a pas les moyens de se payer le luxe de la démocratie.

Un éclair de colère traversa le regard de Deck.

— Réfléchis ! C'est la chance de ta vie que tu rejettes ! La possibilité de changer les choses ! Il se pourrait bien que ce à quoi nous travaillons se révèle vraiment ambitieux. Ne me dis pas que tu préfères retourner à tes petits boulots quitte à manger une fois sur deux. Tu n'as rien à perdre et tout à gagner.

— Qu'est-ce que tu en sais ? Comment peux-tu croire que tu m'as jamais comprise ? En tout cas, *moi*, je ne t'ai jamais compris, c'est sûr. Je n'ai jamais découvert ce qui te poussait à te révolter. Tu as toujours été ainsi. Pourquoi ne peux-tu te contenter d'être heureux de ton sort ? Et reconnaissant ? Tu es né avec une cuillère en argent dans la bouche, et tu es prêt à tout perdre pour ta révolution pourrie !

Elle poussa un énorme soupir. Il n'était pas nécessaire de lui expliquer quoi que ce soit. Il suffisait de le voir tripoter nerveusement la fermeture de son col pour deviner qu'une fois de plus il se sentait étouffer.

Il avait toujours été ainsi : impatient, remâchant de sombres pensées, mais elle commençait à se demander si ça n'avait pas pris une sale tournure, ces derniers temps. À croire que cette soif de vengeance qui l'étranglait depuis toujours avait fini par le pousser à commettre l'irréparable. Qu'avait-il donc fait ?

— Pourquoi ? reprit-elle. Pourquoi tu te mêles de ces trucs-là ?

Comme il ne répondait pas, elle embraya :

— Bon, d'accord, je pose la question autrement : est-ce qu'il s'agit d'œuvrer au bien de tous, ou es-tu prêt à admettre que, quelque part, au fond de toi, il s'agit aussi de vengeance... de ta vengeance contre Kyber ?

Il demeura silencieux, mais un léger sourire joua sur ses lèvres.

— À ta guise, ne réponds pas !

La fierté lui interdit de lui dire à quel point elle trouvait hypocrite de prétendre vouloir aider les masses quand on n'était même pas capable d'aider une amie qu'on savait dans la misère.

Elle ne put toutefois s'empêcher d'ajouter :

— La conclusion, c'est que je m'en suis tirée. Je survis, et je n'en demande pas plus.

Elle n'avait pas besoin de ce qu'il lui offrait. Elle était peut-être à terre, mais elle n'était pas brisée. Elle avait encore pour elle sa jeunesse, sa force et, lorsque son équipement voulait bien fonctionner, son intrépidité...

Bon sang, mais qui croyait-elle duper ? La vérité, c'était qu'elle était sacrément fatiguée de n'être qu'une survivante. Au bout du rouleau, même. Deck le savait, et n'était visiblement pas impressionné.

— Tu t'en es tirée ? railla-t-il. Permets-moi de ne pas être de cet avis. Moi, ce que je te propose, c'est de mettre ta fierté « où je pense » comme tu dis si bien, et changer de monde. Ou alors de passer le restant de tes jours dans une misère noire.

Un long silence s'ensuivit. Elle jouait nerveusement avec les coins du mouchoir empli de bonbons posé sur ses genoux.

— Deck, finit-elle par murmurer, j'ai toujours apprécié ta franchise. Alors explique-moi : pourquoi moi ? Les bidonvilles regorgent de gens qui en savent autant que moi… et même davantage.

— Parce que toi, tu possèdes quelque chose de plus, reconnut-il presque à contrecœur.

— Qui est… ?

— Une carte de résident de Newgate.

Elle se leva si abruptement que son fauteuil bascula en arrière.

— La discussion est close. Je connais la sortie !

Sur ce, elle gagna la porte à grands pas.

— Contente de t'avoir revu, Deck. Amuse-toi bien !

Comme elle ouvrait le battant, elle se retrouva nez à nez avec Raidon.

— Espèce de salaud de riche ! s'exclama-t-elle en faisant volte-face. Ça te plaît de jeter les pauvres dans une mouise encore pire ?

À son tour, Deck se leva, les yeux étincelants de fureur.

— Écoute-moi bien ! Je n'ai pas l'intention d'aggraver ta situation. J'ai besoin de toi pour entrer à Newgate ; en échange, je te propose de te tirer à jamais de ta misère. Je ferai en sorte que ta vie soit infiniment plus facile, je te le promets. Mais j'ai besoin de ton aide.

— Je me fiche de ce dont tu as besoin !

— Je ne te demande pas de t'en soucier, juste de le faire.

— Tu as une idée de ce que c'est que Newgate ?

— Jenny…

— Ah non ! Tu veux m'emmener dans le plus grand bagne du monde, un bidonville comme tu n'imagines pas qu'il en existe, la pire des prisons ! L'Australie, c'est l'enfer, et Newgate, le repaire du diable. C'est là que croupissent tous les salauds, toutes les ordures, toute la racaille de la terre ! Et pas une arme pour te défendre. Pas de phaseur. Pas de choqueur. Pas d'artillerie à puce dernier cri. Rien !

Deck se rassit, croisa posément les mains et se retrancha dans un silence furieux.

Au bord de l'explosion, Jenny hurla :

— Ce n'est pas par hasard si ta famille a laissé l'Australie échapper à son contrôle il y a des années ! Qui voudrait verser un sou pour un endroit pareil ? Qu'est-ce que tu veux faire là-bas ? Je me suis juré de ne jamais y remettre les pieds. Plutôt crever ! Vu ?

Naturellement, il ne voyait pas. Il ne semblait même pas se douter qu'elle devait avoir sa photo affichée dans les sous-sols du Parlement, avec ordre de la capturer à tout prix. Ce serait une pure folie de retourner là-bas. Cela dit, comme elle ne risquait pas non plus de sortir de Macao, étant donné les faibles moyens dont elle disposait, pourquoi ne pas en finir au plus vite ?

C'était apparemment le raisonnement de Deck.

— Réfléchis, c'est précisément ce à quoi tu veux échapper qui devrait rendre à tes yeux ma proposition aussi tentante, remarqua-t-il. Si tu crois honnêtement que ta situation finira par s'améliorer toute seule, si tu crois pouvoir te sortir du bourbier où tu t'enfonces, alors je t'en prie, décline mon offre !

Elle sentit sa détermination commencer à faiblir. Il consulta sa montre.

— Il me faut une réponse rapide, Jenny. Tu es partante ou pas ?

— C'est bon, grommela-t-elle. Qu'est-ce que je dois faire ? Et quand est-ce que ma vie va s'améliorer ?

— Quand tu auras fini. Nous avons une mission bien précise à remplir. En ce qui te concerne, tu vas m'aider à pénétrer en Australie, tu vas utiliser tes relations pour m'obtenir ce dont j'aurai besoin... pour favoriser la révolution. C'est tout ce que je peux te dire pour le moment.

Charmant, vraiment ! Apparemment, il lui suffisait d'évoquer les bidonvilles de Macao ou la pire colonie pénitentiaire, la poubelle du monde, pour penser à elle...

C'était du suicide de retourner là-bas, elle le savait. Mais une petite offre de Deck, et vlan ! elle brisait la promesse qu'elle s'était faite à elle-même. Pas de quoi pavoiser !

Des larmes de rage lui montèrent aux yeux, et elle se détourna, écœurée.

D'accord, elle l'accompagnerait à Newgate. Forcément. Il avait raison. Quand on ne possédait que quelques hardes et deux ou trois armes pourries, on n'avait effectivement pas grand-chose à perdre. Macao ou Newgate, pour elle, c'était du pareil au même, un bas-fond restait un bas-fond, où qu'il se trouve.

Alors, si Deck daignait tenir sa promesse, elle y gagnerait toujours au change. D'autant qu'il existait quelques coins tranquilles là-bas aussi. Tous les résidents d'Australie n'étaient pas des réprouvés. Certains vivaient dans des villes paisibles, et pour peu qu'on vous donne un coup de pouce, vous pouviez vous y installer à votre tour. C'était sans doute son unique chance, en effet, de changer de vie.

Leurs regards se croisèrent. Elle tenta de lire dans les yeux gris-bleu de Deck, mais il ne laissa rien paraître. Impossible de savoir s'il mentait ou disait la vérité. Avec un soupir las, elle lui tendit la main.

— Marché conclu, Deck. Tope là !

4

Sur le quai du convoi aérien, l'atmosphère confinée vous prenait à la gorge. Comme la rame pénétrait dans la gare de Macao en freinant bruyamment, Jenny se tourna vers Deck :

— Tiens-toi prêt !

Le gigantesque véhicule volant s'arrêta en frémissant, une nuée de voyageurs se massa devant les portières de métal, telle une armée se préparant à l'assaut.

— Il faut absolument qu'on entre dans celui-ci, cria Jenny pour couvrir les hurlements des moteurs. On ne sait pas quand passera le suivant. On ne peut pas se fier aux horaires. Quoi qu'il arrive, tu entres, d'accord ?

Il haussa un sourcil surpris, puis parut enfin comprendre qu'il n'y aurait pas assez de place, même si tout le monde avait acheté son billet.

Machinalement, Jenny tendit la main vers l'étui vide accroché à sa cuisse. Elle n'avait pas l'habitude de voyager sans arme, et ça la contrariait. Même si ce type, Raidon, était censé protéger leurs arrières.

Serrant sa veste autour de son corps, elle la ferma par-dessus la bandoulière de son sac qui lui barrait la poitrine. D'un coup d'œil, elle vérifia que Deck ne portait rien qui risque de lui échapper dans la cohue.

— Ne lâche surtout pas ton sac, lui dit-elle à l'oreille.

Il crispa les mâchoires, tendu, et elle songea qu'il n'avait encore rien vu.

Dans un grand bruit, les portières s'ouvrirent et les cabines se dépressurisèrent. Retenant son souffle,

Jenny regardait les passagers sortir en tâchant de repérer des places vides. Dans les derniers fourgons, l'air était infect, irrespirable. Il fallait grimper dans ceux à l'avant, d'où sortaient les quelques passagers en provenance de Newgate. Pour la énième fois, elle se demanda si la décision qu'elle avait prise était vraiment sage.

La puanteur était telle que Deck ne put réprimer un mouvement de recul. D'instinct, il plaqua la main sur le bas de son visage. Les dents serrées, Jenny lui fit signe de surveiller son sac. Il hocha la tête, au bord de la nausée.

La cloche annonçant le départ sonna soudain, et la foule jaillit de partout. Jenny et Deck suivirent le mouvement.

Sur sa gauche, elle vit quelqu'un le prendre par le cou. Elle tapa sur l'épaule du type, puis lui balança un coup de poing en plein visage. Comme il tombait, une main s'insinua vers son sac, le saisit et tira sur la fermeture. Elle se retourna, entendit Deck jurer et le vit repousser le bonhomme sans ménagement.

Elle entra dans le wagon en titubant et se rua vers deux places sur lesquelles elle s'étala de tout son long. Ses voisins l'imitèrent.

Elle aperçut Deck qui se faufilait dans la mêlée et lui fit signe. Il la rejoignit, l'aida à se redresser et se laissa tomber à côté d'elle.

— Personne ne veut aller là-bas, grommela-t-il. À part ça, les wagons sont pleins.

Il regarda autour de lui, et son visage s'éclaira.

— Raidon est là.

— Ça va ? lui demanda Jenny.

— Oui, répondit-il sèchement.

Il semblait cependant passablement désarçonné, ce qui ne lui ressemblait pas. Agrippé à son siège, il parcourut la foule du regard.

— Peur en avion ? interrogea Jenny. On n'a pas encore décollé, tu sais.

— Je suis au courant, merci, répliqua-t-il, les dents serrées. Bon sang, mais qu'est-ce que c'est que cette puanteur?

— Les derniers fourgons transportent les ordures vers la décharge. Ce n'est rien, je t'assure. Attends d'être à Newgate...

Laissant échapper un soupir, Deck détourna la tête.

Les gens continuaient d'entrer et de s'installer lorsqu'un garde, précédé d'un doberman en liberté, passa en pointant un choqueur sur ceux qui n'étaient pas assis, avant de jeter leurs corps inertes sur le quai.

À demi paralysée par la peur, Jenny vit les portières se refermer dans un claquement. Elle n'était probablement pas la seule. Un silence presque total régnait à l'intérieur du wagon, à peine troublé par quelques murmures, tandis que les voyageurs affichaient une façade civilisée, façade qui volerait en éclats à l'arrivée, sinon avant...

— Bienvenue dans le monde *réel*, chuchota-t-elle d'une voix monocorde, au bord des larmes.

Deck paraissait abasourdi, mais elle n'en éprouva que plus de ressentiment à son égard. Qu'est-ce qu'il croyait donc? Il devait commencer à regretter d'avoir quitté le doux cocon de sa demeure. Monsieur n'aimait pas les odeurs? Peut-être se rendait-il compte que la révolution n'était pas une partie de plaisir, finalement.

Elle baissa les yeux sur ses poings serrés. Comment pouvait-elle le haïr autant et l'aimer tellement en même temps? Il ne s'agissait pas d'une simple attirance physique, même si elle existait indéniablement, et que tous deux l'admettaient – à preuve ce qui s'était passé dans sa somptueuse salle de bains. Elle ignorait pourquoi ils jouaient ce petit jeu-là. Ou plutôt, elle ne le savait que trop. Cela permettait de reléguer les sentiments à l'arrière-plan. Au cours des deux dernières années, elle avait souvent pensé à lui, surtout la nuit, quand elle essayait de s'endormir. Elle ne devait pas oublier qu'il l'avait laissée tomber. Et ne pas baisser sa garde.

De toute évidence, elle avait intérêt à ce qu'il réussisse à Newgate. Mais s'il s'avisait de la jeter de nouveau, elle trouverait le moyen de faire échouer sa chère révolution, et lui avec. Elle ne voyait que deux interlocuteurs susceptibles de conclure un marché avec elle : les espions monarchistes du royaume d'Asie et ceux du Parlement de Newgate. Et elle n'avait aucune envie de traiter avec eux. Pas plus qu'elle ne souhaitait que Deck se fasse tuer ; elle voulait juste vivre mieux.

Qu'y avait-il de mal à ça ? Renversant la tête en arrière, Jenny s'efforça de ne pas faire attention à la querelle qui avait éclaté derrière elle. Pourquoi se reprocher de désirer une existence meilleure ? Si Deck voulait se balader et mener campagne pour le bien public, c'était son problème – mais il n'avait aucun souci à se faire pour son avenir, il pouvait donc se le permettre ! Et ce n'était pas parce qu'il faisait partie des Messagers de l'Ombre que c'était un saint. Cela dit, elle devait reconnaître que son idéal de révolution le rendait plus vertueux qu'elle. Mais ça ne signifiait pas grand-chose pour autant.

— Jenny.

Il avait posé une main sur son poignet et tentait de l'autre de desserrer l'un de ses poings. Ce simple contact la déstabilisa.

— Essaie de ne pas regarder uniquement le mauvais côté des choses, murmura-t-il. Tu te mets dans tous tes états.

Elle lui jeta un regard oblique. Cette étrange sollicitude la toucha, en dépit des circonstances. En proie à des émotions mêlées, elle repoussa ses mains en se demandant s'il ressentait la même chose qu'elle. Elle n'était pas particulièrement douée pour dissimuler ses sentiments, mais ceux de Deck continuaient à lui échapper.

— C'est comme ça, riposta-t-elle, je suis en pétard. Il vaut mieux que tu ne m'adresses pas la parole. Du moins pour le moment.

— À ta place, moi aussi je serais en pétard.

— Comme c'est touchant ! railla-t-elle. On dirait que tu commences à... à prendre en compte mes sentiments. Ça me rend malade, tiens ! ajouta-t-elle entre ses dents.

Il sourit. Ce qui ne fit que l'irriter plus encore.

— Ton tour viendra ! le prévint-elle d'un air abattu.

Il laissa échapper un petit rire, ouvrit la bouche pour répondre, puis se ravisa.

Jenny s'efforça de retrouver son calme, d'ignorer ce besoin de hurler qui la taraudait. Décidément, cet homme avait le don de brouiller les cartes. Alors qu'elle avait envie de râler, il trouvait le moyen de la faire rire, alors qu'elle cherchait à se blinder, il soulevait en elle une foule d'émotions. Elle se recroquevilla dans son coin en soupirant. Elle avait intérêt à reprendre la main, à ne pas lui laisser toutes les initiatives dans cette mission.

Rien ne l'oppressait davantage que cette impression d'impuissance. Sans doute parce qu'elle n'avait jamais pu compter sur personne d'autre qu'elle-même ; pas plus sur sa mère, morte en la mettant au monde, que sur son père, qui n'avait fait que la traîner, tel un fardeau, au long de son existence de petit voleur malchanceux et d'assassin. Sans parler de Deck.

Elle lui jeta un coup d'œil. Il faisait son possible pour s'adapter aux circonstances, mais s'il ne se plaignait pas, son attitude en disait long sur l'inconfort qu'il ressentait.

Le fait est qu'il avait bel et bien besoin d'elle. Et pas seulement parce qu'elle savait comment circuler à Newgate. Il avait beau être intelligent et convaincu du bien-fondé de sa mission, il allait se trouver complètement en dehors de son élément dans ce monde nouveau. Il arriverait parfois que tout ce qu'il représentait, tout ce qu'il était, se retourne contre lui.

Sous peu, il aurait besoin de son aide, et elle avait hâte de voir ça.

Pour l'heure, il semblait prodigieusement intéressé par ce qui se passait à quelques sièges de distance. Jenny suivit son regard, par-delà la masse de gens, d'animaux, de bagages. Comme dans n'importe quel convoi de troisième classe à Macao, le wagon était rempli de toutes sortes de gens et de bestioles, d'ivrognes, de sans-abri et autres laissés-pour-compte en route pour leur dernière destination. Des serpents se tortillaient dans leurs boîtes en carton, des volailles caquetaient, sans parler des espèces génétiquement modifiées qui émergeaient des poches de vestes et de chemises.

À l'arrière, Raidon était stoïquement assis à côté d'une femme avec un enfant braillard sur les genoux. Comme convenu, pour des raisons de sécurité, il n'adressa aucun signe à Jenny lorsqu'elle le regarda droit dans les yeux.

— Qu'est-ce que ça veut dire? demanda Deck en s'agitant sur son siège. À quoi jouent ces gens?

Il fallut un moment à Jenny pour comprendre de quoi il parlait. Elle avait vécu suffisamment longtemps à Newgate pour ne plus faire attention aux vêtements que portaient une majorité de voyageurs. Mais elle devait admettre que le côté bal costumé pouvait surprendre.

— C'est un travestissement de la vie... ou une vie travestie, ironisa-t-elle.

Autour d'eux, certains portaient en effet des hauts-de-forme avec leur trench en cuir, des cravates sur leurs gilets pare-balles, ainsi que des pantalons d'équitation agrémentés de holsters fixés par des bandes velcro.

— Tu m'en diras tant, murmura Deck.

— C'est sérieux, assura-t-elle à voix basse. Tu sais que le groupe le plus puissant de Newgate s'appelle le

Parlement. Ils vivent comme à l'époque de la Régence anglaise : clubs privés réservés aux hommes, fumeries d'opium, gouvernement, et Dieu sait quoi d'autre. Ces gens que tu vois là cherchent soit à se faire bien voir du Parlement, soit à l'imiter, enfin, bref, je ne sais pas trop... Il est possible qu'ils soient shootés à un truc bon marché pour que le délire soit complet.

Le visage soigneusement neutre, Deck laissa échapper un sifflement presque inaudible.

— Oui, approuva Jenny, c'est dingue ! Mais il faut avoir vu de ses yeux un véritable membre du Parlement pour vraiment comprendre.

Et ça ne risquait pas de se produire si elle avait son mot à dire ! La dernière fois qu'elle avait « vu » un membre du Parlement, elle l'avait amèrement regretté, et continuerait de le regretter, où qu'elle aille.

Poussant un soupir de désarroi, elle préféra changer de sujet :

— Écoute, sans vouloir te vexer, tu sais ce que tu vas faire, au juste ? Tu as un plan, j'espère !

Il sourit et se tapota la tempe.

— Super ! Ça signifie que soit tu n'en as pas et que tu veux me faire croire le contraire, soit que tu en as un mais que tu n'as pas l'intention de m'en parler.

— Je t'en dirai davantage quand on sera installés à Newgate.

— « Installés à Newgate » ! railla-t-elle. Comme si on allait se trouver une gentille petite auberge ! Tiens, dis-moi juste par quoi on commence.

Il se pencha vers elle, si près qu'elle sentit ses lèvres lui effleurer l'oreille.

— Il va nous falloir trouver des armes, chuchota-t-il. Après quoi, on se mettra en quête d'un toit.

— D'accord.

Elle se racla la gorge et tourna la tête pour lui parler à son tour à l'oreille, frôlant sa bouche au passage.

— Pour l'hôtel, je connais une adresse sûre, et pour l'armurier, j'en ai un de toute confiance.

41

— Ça me va.

Il avait prononcé ces mots d'une voix tellement étranglée qu'elle dut réprimer un sourire de satisfaction. Il n'était pas si blasé que ça, finalement. Ils pouvaient être deux à jouer à ce petit jeu...

Un groupe de colporteurs apparut à l'extrémité du wagon, non loin du garde. Affublés de tenues aussi bizarres les unes que les autres, ils descendirent l'étroite allée centrale avec leurs plateaux chargés de confiseries, de sandwichs, de drogues et d'eau potable hors de prix.

Deck sortit un mouchoir et s'essuya le visage.

— Tu vas finir par nous attirer des ennuis si tu ne t'intègres pas, lui fit remarquer Jenny à mi-voix. Je te suggère de ne pas jouer les prima donna. Et de laisser tomber ce genre d'objet.

L'air étonné, il considéra son mouchoir, puis le rangea sans commentaires, déjà distrait par une vendeuse de cigarettes en jupe rouge ultracourte sur des bas résille noirs, la tête ornée de cornes rouges et les reins d'une queue fourchue ; ce qui ne l'empêchait pas de porter également une arme au côté, ainsi qu'une ceinture de munitions.

— Salut, beau gosse ! lança-t-elle à l'adresse de Deck. Bienvenue en enfer.

Elle se pencha vers lui pour lui montrer le contenu de son plateau, la main posée sur son épaule, un index à l'ongle métallique lui frôlant le cou.

— Laissez-vous tenter, minauda-t-elle.

Il la gratifia d'un sourire que Jenny se serait damnée pour obtenir, puis examina les confiseries, les cigarettes roulées à la main et les fioles d'eau. La fille en profita pour l'étudier avec attention, puis parut soudain perdre contenance. Se mordillant la lèvre, elle risqua d'une voix hésitante :

— Vous appartenez au Parlement, monsieur ?

Jenny retint son souffle. Deck avait beau ne pas porter l'accoutrement Régence des notables australiens, il ne pouvait cacher ses origines aristocratiques. Elles se devinaient dans son allure, dans cette espèce d'aura qui l'entourait.

— Si j'appartiens au Parlement ? répéta-t-il en s'emparant de la main de la fille.

Jenny s'efforçait de regarder droit devant elle, mais elle vit cependant qu'il lui fourrait une pièce dans la main, inclinait légèrement la tête. La façon dont la fille laissa ses doigts glisser sur son poignet avant de se redresser ne lui échappa pas non plus.

— Sait-on jamais ? fit-il d'un air entendu.

— Je ne sais pas, assura-t-elle avec un clin d'œil. Je ne sais jamais rien.

Là-dessus, elle s'éloigna, à la recherche du prochain client.

Deck sourit à Jenny. Elle prit un air faussement exaspéré, mais elle devait admettre qu'il était doué, dans son genre.

Autour d'eux, les voyageurs commencèrent à s'agiter. Ce fut comme une onde d'affolement qui parcourut le wagon tandis que chacun se préparait pour l'arrivée. Avec une appréhension presque tangible.

— Bienvenue en enfer ! répéta Deck, faisant écho aux paroles de la vendeuse de cigarettes.

Jenny lui décocha un regard aussi tranchant qu'une lame de rasoir.

— Tu ne crois pas si bien dire.

5

Newgate, Australie

Entrer dans le sas d'immigration, c'était un peu comme pénétrer dans un univers parallèle, sauf que tout était bizarrement à l'envers.

Les mâchoires crispées, Deck emboîta le pas à Jenny, qui leur ouvrit la voie à coups de coude et d'insultes. Dieu sait qu'il n'aimait pas être relégué au second plan, mais ici, elle connaissait toutes les ficelles. C'était du reste pour cela qu'il l'avait recrutée.

Il devait admettre qu'il se sentait hors de son élément, et plutôt désorienté. La puanteur était insoutenable ; mais ce n'était rien comparé à la foule compacte, qui hurlait et se bousculait. Serrant fermement son sac contre lui, il ne quittait pas Jenny des yeux, ses sens en alerte.

Il avait beau être prévenu, il fallait vraiment le voir pour le croire, songea-t-il en regardant autour de lui. Quelque temps plus tôt, il avait choisi l'Australie pour y établir son réseau ; confronté à la réalité, il ne pouvait que s'en féliciter. Comme l'avait fait remarquer Jenny, qui songerait à venir dans un pareil endroit de son plein gré ? Une bande de rebelles ne devrait pas avoir trop de mal à se cacher dans ce vaste territoire oublié du reste du monde, qui n'y voyait qu'un dépotoir pour ses déchets, humains et autres.

Cela dit, ça n'avait pas été l'unique raison de son choix. Ainsi que Jenny l'avait souligné, la Maison des

Han avait autrefois considéré l'Australie comme l'une de ses possessions. Mais après des années de négligence, elle avait fini par lui échapper au profit d'un gouvernement autoproclamé. À présent, en ces temps perturbés, alors que le monde était au bord de la révolution, l'ancienne colonie d'Asie pouvait se révélait un contre-pouvoir essentiel. Deck savait que Kyber voulait la reconquérir, mais aussi que l'UCT cherchait à s'en emparer.

En revanche, ni l'un ni l'autre ne se doutaient qu'elle était déjà sous l'emprise de révolutionnaires aux aspirations fort différentes. Eux-mêmes se nommaient les « maillons de la chaîne » quand ils se retrouvaient secrètement dans les prisons de Kyber. Chacun ne connaissait que sa propre mission et savait qu'elle était indispensable au résultat final.

Avec les Messagers de l'Ombre et le réseau de communications, ici, Deck était l'un de ces maillons. Mais tant qu'il ne serait pas parvenu à diffuser dans le monde entier la Voix de l'Ombre, il n'aurait pas rempli sa mission – et les prochains combattants de la liberté ne pourraient remplir la leur.

Newgate était un passage obligé. Sinon, impossible d'atteindre la station de communication, d'y apporter le matériel nécessaire à la poursuite de leur tâche. Ils avaient déjà tellement avancé ! Deck possédait les moyens financiers d'aller plus loin ; il avait rassemblé en groupes structurés ces partisans de la révolution qu'il avait surnommés les Messagers de l'Ombre, il avait dessiné les plans de la station et reçu, un beau jour, un message codé comportant ses coordonnées GPS. Il ne lui manquait qu'un guide possédant le savoir-faire nécessaire pour naviguer dans Newgate. Et ce serait Jenny.

Elle avait déjà commencé son boulot, d'ailleurs, l'entraînant hors du tunnel dans une vaste salle souterraine où la foule était si dense qu'ils furent contraints de s'immobiliser. Il régnait là une telle humidité que le gilet pare-balles de Deck lui collait à la peau ; Jenny elle-même semblait souffrir. Il en éprouva un élan de compassion pour elle. En dépit de son regard vif et de sa démarche fière, il devinait que sa vulnérabilité, autrefois visible, n'avait pas disparu ; elle était simplement enfouie au plus profond d'elle-même.

Elle avait changé. Lui aussi.

À cette différence près que, pour lui, il y avait une issue, que cette vie ne représentait qu'une étape dans son existence. Tandis que pour ces gens, c'était *la* vie.

— Les armes à déclarer, file A, sur la gauche ! annonça une voix féminine dans les haut-parleurs. Les demandes de vaccination sur votre droite, file B. Le reste, au fond, file C. Ensuite, prenez devant vous la file D. Vous devez déclarer les polluants et infections connus sous peine d'amende et d'emprisonnement. Les armes sans permis seront confisquées sur-le-champ… Les armes à déclarer, file A…

Raidon les rattrapa et demeura à quelques pas derrière eux, visiblement contrarié de ne pouvoir assurer correctement sa tâche de garde du corps.

Jenny posa son sac entre ses pieds et fit jouer les muscles de ses bras et de ses épaules tout en parcourant l'énorme panneau qui annonçait la sortie sur Newgate au-delà d'un second tunnel.

— On commence par l'immunisation ! décréta-t-elle.

Ils prirent leur tour dans la file B, jusqu'à ce qu'un homme en redingote et gilet chamarré les bouscule pour se frayer un chemin en marmonnant des insultes à l'encontre de ces « paysans » et de cette « queue ».

Voyant que la foule s'écartait docilement, Deck haussa un sourcil. Jenny ôta le lien qui retenait ses cheveux, les laissant retomber de manière à dissimuler en partie son visage.

— Le Parlement, murmura-t-elle en lançant des regards prudents alentour. Ils n'ont pas l'habitude de voyager.

— Comment puis-je y entrer ? plaisanta Deck.

Le dandy en avait déjà terminé avec les formalités et quittait la salle.

— Je ne vois pas l'intérêt de renoncer à une aristocratie pour une autre, rétorqua Jenny à mi-voix.

Deck regarda autour de lui.

— Pourquoi se donner tout ce mal quand on sait que les trois quarts des immigrants ne sont que des criminels ?

— D'abord pour vérifier qu'ils ne sont pas porteurs de maladie, ensuite pour s'assurer des revenus sous forme de pourboires et de taxes. Pour autant que je le sache, il n'y a pas de vraie police à Newgate. Le Parlement a bien monté une brigade, mais uniquement pour engager des poursuites contre les gens qui ont commis des crimes contre ses membres.

— Ils ont des tribunaux ?

— Penses-tu ! Ici, on passe directement de l'accusation à l'exécution.

— Tu les as déjà vus à l'œuvre ?

— Oui... enfin contre des assassins et des contaminateurs. Mais je me suis bien gardée de poser des questions, si tu vois ce que je veux dire.

Désignant d'un geste la pagaille autour d'eux, elle ajouta :

— En vérité, tout ceci ne sert qu'à rechercher... comment dire ? Des trucs pas ordinaires.

Que pouvait-on considérer comme « pas ordinaire » à Newgate ? Ni Jenny ni Raidon ne se distinguaient des autres gens. Quant à lui-même, s'il avait du sang bleu dans les veines, ce n'était apparemment pas le seul en Australie.

Pour être honnête, il devait admettre qu'au début, une petite partie de lui-même avait savouré la revanche qu'une révolution mondiale lui procurerait. Après tout, c'était ce qu'il n'avait cessé de souhaiter. Mais c'était avant que la Voix de la Liberté entre en contact avec lui.

Ce qui, au commencement, n'avait été qu'un moyen de se venger de Kyber avait pris dès lors un tout autre sens. Et lui-même en avait été métamorphosé.

Il avait transformé ses quelques sujets demeurés loyaux en ces troupes de Messagers de l'Ombre, hommes et femmes totalement dévoués à la cause de la Voix de l'Ombre. Sa station de communication, installée en Australie, était devenue le point de départ de leurs opérations. Et le ressentiment qu'il éprouvait à l'égard de son demi-frère était devenu sans objet du jour où il avait adopté la cause de la révolution.

Jenny ne comprendrait jamais cela. Ou ne voulait pas le comprendre. Il lui jeta un coup d'œil. Pâle, les yeux clos, elle luttait contre la fatigue à coups d'exercices respiratoires.

— On se la joue zen ? demanda-t-il.

— Je voudrais bien. Tu plaisantes, mais dans une heure, quand on n'aura pas bougé d'un poil, je te parie que tu m'imiteras.

Il ne put qu'approuver d'un hochement de tête résigné.

Une heure plus tard, ils atteignaient enfin le début de la file.

— On y va pour la sucée ? fit l'employé.

— Pardon ? s'étrangla Deck.

Jenny déglutit.

Avec un soupir agacé, le type désigna le petit pistolet de plastique transparent encastré au centre du comptoir.

Jenny fit coulisser la paroi de son côté, présenta son avant-bras à la seringue pistolet, puis referma la vitre, laissant une goutte de sang sur une lame. Deck l'imita tandis que le scanner entreprenait d'analyser les résultats de Jenny.

En les examinant, l'employé inclina la tête, intrigué.

— Intéressant, marmonna-t-il. Votre fichier est bousillé. On a des données sur votre entrée, mais on n'a pas de date de sortie. Sinon, le casier judiciaire semble à peu près normal…

Il se pencha sur son écran, puis regarda Jenny avec ce que Deck aurait juré être de l'admiration.

— Encore qu'il y ait un truc bizarre…

Elle s'humecta les lèvres, semblant attendre une suggestion. Deck n'ouvrit pas la bouche mais, s'il n'avait craint de la mettre hors d'elle, il aurait tout simplement sorti son portefeuille et glissé un billet à l'homme pour en finir une bonne fois avec ces interminables formalités.

— Bon, reprit ce dernier. On a le choix entre deux possibilités : effacer ça en appuyant sur la touche erreur et mettre à jour votre liste d'inoculations. Ou alors appeler un chef pour qu'il débrouille le dossier.

Tandis qu'il parlementait à mots couverts avec Jenny, Deck se demanda si le « truc » en question n'était pas une allusion à sa présumée relation avec le meurtrier de son père à lui. À moins qu'elle n'ait trouvé le moyen de s'attirer encore des ennuis au cours de son dernier séjour à Newgate.

Il chassa vite ces pensées. Jenny devait être aussi innocente que lui-même. Kyber leur en avait sans doute fait voir autant à l'un qu'à l'autre. Il se remémora les événements : le père de Jenny avait été engagé pour administrer la dose mortelle, puis on avait rendu publiques les véritables origines de Deck, si bien que la monarchie s'en était trouvée bouleversée fort à propos. Le père de Jenny était mort, et cette dernière avait été expulsée pour avoir commis le crime inexpiable d'être sa fille, tandis que lui-même, étiqueté bâtard, avait été jeté en prison – accusé d'avoir organisé la tentative de parricide afin de cacher la vérité sur sa naissance. Clair et net.

Entre-temps, le prince Kyber était monté sur le trône d'Asie d'où, entre festins et jolies femmes, il tentait de régner sur le monde.

Jenny, qui s'était appuyée au comptoir, se redressa en se rongeant les ongles tandis que l'employé tapait sur son clavier. Ils semblaient être arrivés à un accord satisfaisant pour les deux parties.

Plongeant la main dans sa veste, elle en sortit une minuscule améthyste. Elle la maintint sur le comptoir d'un doigt sans quitter le type des yeux. Celui-ci s'autorisa un bref sourire, puis déclara comme si de rien n'était :

— Voilà… vos certificats sont périmés. Il vous manque un vaccin, et c'est une macro. Vous n'avez peut-être encore rien contracté, mais ça risque de vous arriver d'ici à votre *départ*.

Il appuya cette dernière phrase d'un clin d'œil, faisant ouvertement référence à l'évasion passée de son interlocutrice.

— Voyons monsieur, à présent.

Il examina la lamelle de Deck, écarquilla les yeux.

— Je vois que monsieur est plus qu'à jour ! s'exclama-t-il. J'imagine que c'est à cause de son régime alimentaire… et avec cet accent…

— Ai-je besoin de vaccin ? demanda Deck, pressé de partir.

— Vous êtes hyperimmunisé, mais comme je viens de le dire, nous avons cette épidémie de macro-typhoïde dans l'ouest de Newgate. On a nettoyé le quartier et liquidé les contrevenants, mais vous auriez intérêt à faire un rappel.

Deck acquiesça de la tête, et Jenny lâcha l'améthyste. L'employé posa deux seringues pistolets sur le comptoir.

Jenny prit la sienne et heurta celle de Deck comme s'ils tenaient deux flûtes de champagne.

— Santé ! lança-t-elle.

Puis elle s'enfonça l'aiguille dans la cuisse, à travers le pantalon.

— Quelle garce ! fit Deck d'une voix rauque.

Elle accueillit le compliment d'un sourire – le premier vrai sourire qu'il lui ait vu depuis longtemps –

et jeta l'aiguille usagée dans une poubelle sécurisée réservée à cet effet.

Elle n'avait plus rien de la jeune fille qu'il avait connue, mais la femme qu'elle était devenue lui plaisait. C'était une dure à cuire, indépendante, et elle avait un sourire à se damner. Il y avait entre eux un lourd passif, cependant ce qui avait pu autrefois leur interdire tout rapprochement physique ne semblait plus poser problème, désormais. La Maison des Han ne pouvait plus dicter sa conduite au prince D'ekkar Han Valoren, déterminer qui il avait le droit de toucher ou non. Il balaya du regard la silhouette mince de Jenny et se félicita de n'être plus qu'un roturier.

— Alors ? lança-t-elle avec un sourire enjoué.

Il examina son aiguille ; elle semblait à peu près propre. Il n'était pas vraiment habitué à ces procédés, mais ce n'était pas le moment de faire la fine bouche.

Il entendit le murmure indigné de Raidon dans son dos :

— Miséricorde !

L'employé mettait ses fichiers à jour en marmonnant :

— Jamais compris comment des riches pouvaient atterrir ici...

Soudain, il se figea et leva lentement les yeux sur Deck.

— Une minute. Vous êtes du Parlement, monsieur ? demanda-t-il d'une voix chevrotante. Vous n'avez pas l'air... C'est juste que je... je...

Il reposa en hâte l'améthyste sur le comptoir.

La bonne humeur de Jenny s'évanouit aussi vite qu'elle était apparue. Elle se rapprocha du type, lui prit le poignet et se pencha vers lui.

— Pas très malin comme question !

Il soutint un instant son regard et finit par déglutir.

— Motus et bouche cousue.

— Bien vu ! grommela-t-elle en le relâchant. C'est fini, maintenant ?

— Oui, mademoiselle.

Il donna quelques coups de tampon et leur tendit leurs papiers en murmurant :

— Vous pouvez aller à la douane.

Jenny fit signe à Deck de la suivre.

Ils passèrent près de Raidon, occupé au comptoir voisin, afin qu'il sache où ils se rendaient. Lui se dirigea vers le service de vérification des armes. Il s'était lourdement équipé, et Deck lui avait confié une somme d'argent rondelette afin de faire taire les objections.

Ils attendirent deux heures avant de passer la douane, jusqu'à ce que Deck glisse à l'oreille de Jenny :

— Il va falloir qu'on discute sérieusement de ce Parlement.

— Pas ici.

La femme qui tenait ce comptoir devait avoir un sérieux problème de drogue, du moins à en juger par la texture floconneuse de sa peau.

— Avez-vous quelque chose à déclarer ? demanda-t-elle sereinement. Non ? Vous pouvez vous débarrasser de ce qui vous encombre au bout de la file A si vous avez un doute.

— Non, fit Jenny. Rien à déclarer.

— Vous êtes sûrs ? insista la femme. Ni armes, ni propagande, ni drogues illégales, ni aucun objet interdit ?

— Non, rétorqua sèchement Jenny.

La femme pointa son stylo électronique sur le code-barres de leurs reçus d'immigration.

— Bonne chance, conclut-elle.

D'un geste, elle leur désigna l'arc en métal sur lequel était marqué NEWGATE en grosses lettres rouillées.

Jenny leva les yeux et se pétrifia. Quantité de pensées semblaient tourbillonner dans son esprit – toutes terrifiantes –, et Deck dut la prendre par le bras pour l'entraîner vers le tunnel de sortie.

Comme elle résistait, il la poussa devant lui pour qu'elle franchisse le tourniquet.

Elle semblait découragée, tout à coup. Comme si elle ne croyait pas en son rôle. Ni en lui.

Deck la prit par les épaules et plongea son regard dans le sien.

— Je ne te laisserai pas ici, je te le jure, murmura-t-il. Je remplirai ma part du marché.

Il l'enlaça, tandis que la foule passait autour d'eux, et posa le menton sur sa tête. Elle ne s'écarta pas, se laissa même plutôt aller contre lui.

Lui-même éprouvait un certain malaise. C'était une chose de parler de révolution, et une autre de se préparer à consentir les sacrifices nécessaires. Il ne s'agissait plus simplement de dessiner les plans d'une station, ou d'envoyer de l'argent. C'était sa vie qui était en jeu, à présent. Il baissa les yeux sur la chevelure flamboyante de Jenny. *Leurs* vies.

Elle se dégagea, carra les épaules.

— Désolée. Tu es prêt ?

— Prêt.

Comme il se dirigeait vers la sortie, il sentit un flot d'adrénaline courir dans ses veines.

D'un seul coup, ce fut la lumière du jour, ou ce qui passait pour telle. Immeubles de métal, vieilles bâtisses de bois, murs décrépis, chaussées parcourues par des rats que poursuivaient des bestioles indéfinies, pestilence des égouts. Paille et fumier le long des rues. Pousse-pousse, buggys, motos rutilantes, side-cars offraient un véritable chaos sur roues, charrettes et fiacres tirés par des pseudo-chevaux désormais bannis du reste du monde. Tout semblait se mélanger, bric-à-brac d'objets recyclés, réinventés, réorientés, réutilisés. Pourtant, il n'y avait là ni enthousiasme ni excitation ; l'atmosphère était lugubre comme dans un monde en décomposition.

Deck bifurqua vers une place où allaient et venaient une multitude de gens. En lui le désespoir se teintait d'agressivité, de résignation et de méfiance – cette surcharge sensorielle morbide lui flanquait la nausée tout en lui donnant du courage.

Indubitablement, Newgate était à la croisée du moderne royaume d'Asie de Kyber et de la vieille Europe historique, celle de la Régence anglaise des livres illustrés. C'étaient les bidonvilles de Macao en dix fois pire, repeints, redécorés par une espèce de fou. À coup sûr un lieu mûr pour la révolution.

Au contraire de Jenny, la découverte de cette ville ne fit que le conforter dans ses résolutions.

C'était à *cela* que devait servir la révolution. À aider ces pauvres gens. Les communications de la Voix de l'Ombre, récemment interrompues – indubitablement filtrées et censurées par ce Parlement dont Jenny lui avait parlé –, seraient bientôt rétablies. Et ses messages de liberté résonneraient dans le monde entier, à travers tous les canaux clandestins; contournant tous les moyens de communication officiels.

C'était pour cela qu'il était là.

6

Les étroites rues pavées de Newgate grouillaient d'hommes pressés qui vaquaient à leurs occupations, insensibles à la puanteur ambiante et aux rengaines folkloriques d'Asie. Alors qu'ils rejoignaient Raidon à la sortie du bureau d'immigration, Jenny se demanda si ces vieilles chansons attristaient l'ex-prince.

Elle ne l'avait jamais vu triste ; il n'était pas du genre à étaler ses émotions. En ce qui la concernait, elle préférait exprimer ses sentiments haut et clair, que ce soit d'un coup de poing ou d'un baiser. Pour le moment, elle avait envie de donner un de chacun à Deck.

Pour se rendre au dépôt d'armes, ils empruntèrent un entrelacs de ruelles humides, qui serpentaient entre des immeubles d'habitation. À l'extérieur, ces bâtiments respectaient l'architecture palladienne qui avait la faveur du Parlement. Ce qui se voulait un tant soit peu officiel à Newgate s'en inspirait également.

Ce n'étaient cependant que des façades, faites de corniches aux stuc grisâtre, aux colonnes et aux élégantes fenêtres noyées de crasse. Comme si cette saleté permettait de masquer la hideur de la réalité.

Finalement, Jenny s'arrêta devant un entrepôt caché au fond d'une cité délabrée. Ils pénétrèrent dans une grande salle équipée de matériel de surveillance et de toutes sortes de caméras. Jenny disparut par une petite porte latérale et revint peu après en compagnie d'un homme énorme qui semblait dépourvu de cou.

Raidon lui dressa la liste du matériel qu'il recherchait : fusils, deux lance-grenades, plusieurs armes de poing et deux jeeps en bon état. L'armurier prit note et s'apprêtait à retourner dans son antre lorsqu'il se ravisa et demanda :

— Que diriez-vous d'articles plus petits ?

Il souleva le couvercle d'une vaste vitrine regorgeant d'objets, tant anciens que modernes.

— Traceurs, flèches empoisonnées, shuriken et quelques autres babioles...

Deck sélectionna plusieurs paires de lunettes à vision nocturne. Jenny choisit avec délectation une paire de gantelets.

— Regardez ça ! s'exclama-t-elle. Du cuir ici, et là, ce mécanisme qui s'étire – on dirait qu'il suffit d'ôter la sûreté et... voici la détente digitale. Ce bout de métal sort, pivote et...

Elle se tourna vers un mannequin fixé sur une cible dans l'espace d'entraînement et tira. Une griffe de métal jaillit au bout d'un mince câble, pour aller se planter dans l'entrejambe de chiffon.

— Joli ! s'exclama-t-elle.

Raidon tressaillit, puis déclara :

— Ne nous emballons pas. Nous sommes ici pour acheter le nécessaire, pas des... accessoires.

— On ne sait jamais, répliqua Jenny.

Elle ôta néanmoins le gantelet qu'elle reposa dans la vitrine.

— N'oublie pas, intervint Deck, que je n'ai que ce que j'ai apporté avec moi. Ce n'est pas comme si je pouvais puiser indéfiniment sur un compte. Ah, les femmes ! ajouta-t-il à mi-voix, visiblement amusé.

Raidon acquiesça d'un hochement de tête.

Les ignorant, Jenny se dirigea vers un mur où étaient accrochés épées, sabres et poignards en tout genre. Dans le reflet d'une lame, elle aperçut Deck qui faisait signe à son garde du corps de poser le gantelet sur la pile d'achats. Souriant intérieurement, elle poursuivit son examen.

Deck arriva derrière elle. Ils échangèrent un regard, puis tournèrent d'un même mouvement les yeux vers l'espace d'entraînement. Elle étouffa un rire, et ils choisirent de concert deux armes chacun : une longue épée et une dague.

— Bon, soupira Raidon, puisque vous vous occupez des armes, je vais aller jeter un coup d'œil aux véhicules.

— C'est dans le garage, indiqua l'armurier.

Considérant le matériel qu'ils avaient déjà mis de côté, il ajouta d'un air inquiet :

— Vous avez l'intention d'entreposer ça ici ?

— Juste quelques jours, le rassura Raidon.

Voyant que Deck se mettait en position, il lança, railleur :

— Tâchez de ne pas nous le tuer, Jenny !

Elle haussa les épaules innocemment et rejoignit le prince sur l'énorme estrade circulaire délimitée par des murets capitonnés.

Deck se débarrassa de sa veste. Son gilet pare-balles sans manches révélait ses bras musclés.

Jenny l'imita, ne gardant qu'une mince chemise qui n'offrait certes pas de prise, mais pas de protection non plus.

Haussant un sourcil, Deck ôta son gilet, histoire de se mettre à égalité. Son torse nu était musclé, mais sans excès. Jenny faillit presque proposer de se déshabiller aussi. Il n'y avait pas de raison…

Ils parcoururent lentement le périmètre de l'espace de combat, se jaugeant du regard. Le cœur battant d'anticipation, Jenny balançait son épée, un poil fanfaronne.

Ce fut Deck qui bougea le premier. Il se tint devant elle, droit, puis, avec des gestes économes, presque lents, la gratifia d'un salut formel en touchant son cœur de la poignée de son épée. Il fléchit ensuite les jambes, en parfait équilibre, indiquant qu'il était prêt.

Jenny reconnut aussitôt cette position : c'était la première d'une forme de combat particulière à l'armée Han, un croisement entre l'art martial du kendo et les attitudes fluides du tai-chi. Elle le revoyait presque en train de s'exercer avec son frère dans les jardins du palais.

Elle les avait longuement observés à travers la palissade et, seule de son côté, les avait imités, répétant chaque mouvement, chaque feinte, au point d'assimiler la forme offensive de cette discipline sinon son état d'esprit et sa philosophie.

Cependant, elle ne se prenait pas pour un bretteur de luxe ; elle se fichait du style de ses combats. L'important était d'en savoir assez pour pouvoir se battre, à sa façon, d'autant plus imprévisible et dangereuse qu'elle ne se soumettait à aucune règle.

Si bien qu'elle pouvait tenir tête à Deck.

Certes, elle ne commença pas par saluer. Avec un sourire narquois, elle brandit son épée telle une dague qu'elle pointa sur le cœur de Deck.

— Madame ne veut pas observer les règles de l'art ? murmura-t-il d'une voix rauque en la scrutant de ce regard gris indéchiffrable.

Il répliqua.

Jenny sourit et réagit sans hésitation, souple et agile, impatiente et vive, prête à tout pour se défendre.

Elle croisa sa lame dans un éclat métallique et sonore, ripostant à chaque assaut, attaquant elle-même. Ils luttèrent ainsi, lui quintessence de la grâce et de la technique, elle, formée à l'école de la rue, violente et agressive.

Il haussa les sourcils, surpris, et… admiratif ?

— Il n'y a pas que l'éducation dans la vie, commenta-t-elle, indulgente.

Ils continuèrent de plus belle, se prenant tellement au jeu que l'exercice sembla tourner au véritable duel.

S'accrochant, se détachant, se faisant face, s'observant, ils croisèrent encore dix fois le fer jusqu'à ce que, soudain, Deck plonge sous la lame de Jenny pour saisir la jeune femme par la taille et l'attirer vers lui dans un dernier cliquetis de lames à quelques centimètres de leurs deux visages. Mais il ne lâcha pas prise.

Et soudain, elle comprit l'objet de ce duel. Ce n'était pas sans raison qu'elle avait tellement envie de l'affronter. En fait, elle désirait l'éprouver. Savoir exactement où elle en était. De quel bois était-il fait ? Jusqu'où irait-il au nom de sa révolution ? À quels sacrifices consentirait-il ? Était-il capable de lui faire du mal ? De la mettre en danger de mort ?

Comme s'il lisait dans ses pensées, il pencha la tête de côté.

— Parfait, souffla-t-il. À présent, on va se battre pour de bon.

Pour commencer, il jeta son épée sur le tapis, puis sortit sa dague, la soupesa d'un geste expert. L'adrénaline fusa dans les veines de Jenny, lui arrachant un frisson. À son tour, elle abandonna son épée et alla chercher le poignard qu'elle avait choisi.

Elle revint à grands pas vers Deck, frimeuse, obstinée, roulant des mécaniques ; plongea d'un coup, esquiva la parade. À chacun de ses assauts, il répondait comme en dansant, avec une parfaite élégance.

Ils se séparèrent, s'éloignèrent l'un de l'autre sans se quitter des yeux, tels deux boxeurs lorsque la cloche a résonné. Furtivement, elle essuya une goutte de sueur sur son front et ne fut pas mécontente de voir Deck faire de même.

— Fatiguée ? lança-t-il avec un sourire.

— Je commence à peine !

Il acquiesça de la tête.

— Tu en reprendras bien encore ?

— Volontiers !

De nouveau, ils se lancèrent l'un contre l'autre ; cette fois, Jenny y mit plus de hargne et de sauvagerie. Elle se prenait décidément au jeu.

Deck l'attaqua sans vergogne, dague en avant ; elle l'évita d'un coup de reins, puis, sans prévenir, lui balança son pied en pleine poitrine.

Il accusa le choc avec un grognement et l'envoya au sol, mais elle se reçut d'un roulé d'épaule qui lui permit de se redresser d'un bond. Alors il essaya une autre tactique, qu'elle s'empressa de briser par un crochet du gauche à l'épaule tout en lançant son poignard en avant.

Il esquiva chacun de ses assauts, répondit à chacune de ses attaques, mais elle commençait à percevoir un certain désarroi dans ses répliques. Et, rien qu'à son regard, elle pouvait affirmer qu'il en éprouvait de l'excitation.

À l'évidence, Raidon lui avait appris quelques coups bas.

— Tu ne détestes pas te battre en dehors des règles, observa-t-elle. Qu'est-ce que ça te fait de te sentir libre de toute contrainte ? Plus d'obligation, mais plus de protection non plus. Ça ne te démange pas, parfois, de faire quelque chose de… défendu ?

Elle avait assorti cette dernière phrase d'un sourire narquois.

— Je croyais que tu me connaissais mieux que ça, rétorqua-t-il en reculant. Je n'ai toujours fait que ce que je voulais. Je m'arrange juste pour ne pas me faire repérer et, si tu veux mon avis, tu devrais m'imiter. On te suivait à la trace à Macao.

— Au moins, tu m'as retrouvée entière ! Il faut croire que j'ai su me tenir à l'écart de la racaille. Depuis toi, en tout cas.

— Tu me considères comme une racaille ?

— Tu ne me laisses pas vraiment le choix, non ? lança-t-elle, mentant un brin. J'ai des raisons de penser autrement ?

La question parut le cueillir à froid. L'éclat rieur disparut de son regard. Une fraction de seconde, il oublia son objectif, et Jenny en profita. Concentré d'énergie pure, elle laissa son ressentiment envers lui s'exprimer dans un battement de jambes puissant qui lui arracha sa dague de la main. La lame vola à travers la salle avant d'aller se planter dans le mur capitonné.

Mais cela ne suffit pas à Jenny qui plongea vers son adversaire.

À l'instant où elle pointait son poignard sur le cou de Deck, Raidon se matérialisa sur l'estrade, le pistolet à la main.

— Bas les pattes! ordonna-t-il.

Tandis qu'il s'approchait lentement, Jenny fixait Deck d'un regard animal.

— Sûrement pas, répliqua-t-elle, haletante, mais calme. On a encore un mot à se dire.

— Bas les pattes, Jenny!

— Je m'en charge, siffla Deck.

Il ne bougea pas, soutint le regard de Jenny et demanda d'une voix posée:

— Quel est le problème?

— J'ai l'impression que mon potentiel de survie a nettement diminué, lâcha-t-elle.

— Continue.

— C'est une chose de mourir dans une bagarre, et une autre de perdre la vie à la suite d'une... disons, négligence.

— Je ne suis pas sûr de voir où tu veux en venir. Tu peux préciser?

— Je ne suis qu'une recrue occasionnelle. Je ne participe pas à ta révolution. Je me vends au plus offrant. Je n'ai aucune vocation au sacrifice, pigé? Je ne suis pas ta partenaire.

Pour toute réponse, Deck se rapprocha imperceptiblement, sans tenir compte de la pointe qui commençait à s'enfoncer dans sa peau.

L'épreuve de force se poursuivait de plus belle. Furieuse contre lui, Jenny déglutit:

— Tu joues à quoi, là?

— Au même jeu que toi.

— Pourquoi la provoquer, monsieur ? intervint Raidon.

Deck ne bougea plus ; le garde du corps pointa son arme sur Jenny.

— Je n'hésiterai pas à m'en servir ! la prévint-il.

Sa voix semblait implorante, mais son attitude tandis qu'il se rapprochait était celle d'un homme prêt à tuer.

— Ah oui ? ricana Jenny sans quitter Deck des yeux.

— Qu'est-ce qui t'ennuie, exactement ? demanda celui-ci. Crache-le morceau !

Elle plissa les yeux. Pas question de lui laisser penser un instant que l'un ou l'autre pourrait l'intimider.

— Tu prétends que tu es comme nous autres, à présent. Tu n'es plus prince et donc, ici, personne ne te doit allégeance. Cela signifie que tu ne devrais pas avoir plus d'importance que moi. C'est drôle, mais je n'y crois pas. J'ai comme l'impression que nos vies ne sont pas toutes évaluées au même prix, dans cette affaire !

— Je ne crains pas de mourir, affirma-t-il en avançant de nouveau.

Aussitôt, le canon du pistolet de Raidon se colla sur la tempe de Jenny.

— Désolé, jeune fille, articula-t-il d'une voix glaciale. Ce n'est pas ainsi que ça marche. Je ne le répéterai pas. Lâchez ce poignard !

— Raidon, souffla Deck, je t'ai dit de laisser tomber. C'est mon affaire. Je maîtrise la situation.

— Tu crois ? fit Jenny.

— Oui.

Il se rapprocha, et la pointe du poignard lui entailla la peau.

— Je ne recule pas devant le sacrifice, Jenny. Et toi ?

Une goutte de sang roula le long de la lame et atterrit sur les doigts de la jeune femme.

— Ça suffit ! s'écria Raidon, indigné. Jenny, jetez ça. Immédiatement !

Elle gardait les yeux fixés Deck. « Accroche-toi, s'exhorta-t-elle. Ne lâche surtout pas prise. » Mais elle transpirait tellement que son arme devenait glissante dans sa main. Elle était si tendue que son bras commença à trembler.

Elle ne bougea cependant pas d'un pouce.

— Je sais que tu n'as pas peur de mourir, remarqua-t-elle d'une voix sourde. Là n'est pas le problème. Du reste, moi non plus je n'ai pas peur, si c'est ce que tu crois. Mais si quelqu'un doit mourir, et si quelqu'un d'autre a prévu que ce soit moi, j'estime qu'il devrait avoir les tripes de me le dire en face.

Deck garda le silence. Un petit sourire se dessina sur ses lèvres.

— Je ne doute pas que tu sois capable de t'embrocher sur cette lame au nom de ta révolution, poursuivit-elle. En revanche, je me demande si tu le ferais pour Raidon. Ou pour moi. Et est-ce que tu *nous* embrocherais s'il le fallait ?

Elle ajouta dans un souffle :

— Si tu te trouves un jour au pied du mur, la vraie question sera : qu'est-ce qui est le plus important à tes yeux ?

— La révolution est ma priorité, admit-il calmement. Mais je vous défendrai, Raidon et toi, au prix de ma vie si je le peux.

— Tu te dérobes.

— Ce n'est pas drôle, gronda Raidon en appuyant plus fort son pistolet sur la tempe de Jenny.

— Non, en effet. Réponds-moi, Deck. Si tu es venu ici avec l'espoir que l'un de nous se sacrifie, tu feras en sorte que ce soit moi, non ?

— Personne ne va mourir, déclara Raidon.

— Mais si ça doit arriver ? Si quelqu'un doit mourir ? Deck se bat pour la révolution. Vous veillez sur Deck. Et moi… je me bats pour moi. Pas vrai ?

Raidon marmonna une réponse inintelligible. De toute évidence, ni lui ni Deck ne voyait où elle voulait en venir. Soudain, elle se sentit incroyablement ridicule. Ouvrant la main, elle lâcha le poignard qui tomba sur le parquet.

Imperturbable, Deck le ramassa et essuya la lame sur son pantalon. Sans un mot, il récupéra leurs épées et se dirigea vers le comptoir.

Avec un soupir de soulagement, Raidon remit la sécurité sur son pistolet et baissa le bras.

— Je ne vous connais pas bien, mais je crois que vous valez mieux que ça, observa-t-il. Ne me refaites jamais un tel coup.

— J'aime bien savoir où je mets les pieds, rétorqua-t-elle froidement.

Elle jeta un coup d'œil à Deck.

— Vraiment ? insista Raidon.

Il posa la main sur l'épaule de Jenny.

— Écoutez…

— Laissez tomber !

D'un mouvement brutal, elle se dégagea. De nouveau, elle se sentait la cinquième roue du carrosse. Pendant un moment, après les avoir guidés du poste de douane jusqu'à la boutique de l'armurier, elle avait eu l'impression de mener la danse. De faire vraiment partie de leur petite équipe. À tort. Deck ne voyait en elle qu'une employée. Facile à remplacer si besoin était.

Elle pivota et balança un violent coup de poing dans un punching-ball.

7

C'était peut-être lui qui saignait, mais de toute évidence, Jenny souffrait d'une blessure beaucoup plus ancienne. Ils avaient quitté le magasin depuis un quart d'heure que Deck s'en voulait encore d'avoir laissé leur petit affrontement à l'épée prendre un tel tour.

Et cela par pure arrogance. Qu'avait-il eu besoin de la titiller ainsi alors que le marché qu'il l'avait forcée à accepter avait déjà mis sa fierté à rude épreuve ? Ce n'était pas parce qu'elle avait autrefois montré ses sentiments qu'il la comprenait pour autant.

Plongé dans ses pensées, il avait à peine fait attention à ce qui les entourait quand Jenny s'arrêta devant un hôtel miteux, *Chez Prinny*. L'endroit paraissait des plus quelconques si ce n'était l'arche triomphale, et totalement incongrue, qui surmontait le perron.

Des odeurs de goudron et de bœuf trop cuit leur parvenaient à travers les barreaux qui protégeaient l'entrée. Une caméra de sécurité était fixée au-dessus de la porte.

Jenny se posta bien en face et appuya sur la sonnette. Après quelques secondes, le mécanisme de fermeture se débloqua et le battant s'entrouvrit.

Dans le hall délabré, le comptoir de la réception faisait face à un bar à demi caché dans un renfoncement. Raidon jeta un regard hésitant à l'un puis à l'autre.

— Je ne suis pas sûr que ce soit une bonne idée, murmura-t-il nerveusement en chassant de la main la fumée qui flottait dans la pièce.

— On n'est pas obligés de respirer, répondit Jenny en lui décochant un clin d'œil.

Deck la dévisagea d'un air surpris. Elle s'exprimait d'un ton normal, l'air parfaitement naturel, son sens de l'humour intact. Il lui paraissait impossible qu'elle ait réussi à ravaler sa frustration au cours du bref trajet qu'ils venaient d'effectuer. En fait, ce brusque revirement le mettait très mal à l'aise.

— C'est pour quoi ?

En maillot de corps étriqué, le menton hérissé d'une barbe de plusieurs jours, le barman quitta son comptoir pour gagner la réception.

— Ma parole, mais c'est Jenny Red ! s'exclama-t-il.

— Juste une fois, j'aimerais entendre quelqu'un prononcer mon nom avec plaisir, murmura-t-elle.

Ignorant sa remarque, l'employé examina les deux hommes derrière elle.

— C'est qui ?

— Je me porte garante d'eux.

Deck soupira, et Jenny le fusilla du regard. Ces interminables bavardages, ces constantes allusions à d'éventuels pots-de-vin semblaient le déconcerter. Il n'était pas impulsif, comme Jenny, mais il avait l'habitude d'obtenir des résultats. Vite et bien. Aussi ces simagrées commençaient-elles à lui porter sur les nerfs.

— Deux chambres, mon brave, je vous prie, dit-il poliment.

Jenny lui décocha un coup de coude dans l'estomac. Raidon fit un pas en avant, mais Deck l'arrêta d'un geste.

L'employé les considéra d'un air réprobateur, tel un instituteur devant des élèves turbulents.

— C'est tout petit, et ça fait un remue-ménage pas possible ! commenta-t-il d'un ton moqueur. Je vous rappelle que je veux pas d'ennuis.

Jenny se pencha vers lui et le regarda bien en face.

66

— Moi non plus. En fait, on aimerait passer inaperçus, si vous voyez ce que je veux dire. Si elle est libre, on aimerait avoir cette chambre à deux lits, en angle. Plus de l'eau et de la lumière. Pour deux ou trois nuits, je ne sais pas encore exactement.

— Je vais devoir vous compter une surtaxe.

— Oh, *allez*, fit-elle en levant les yeux au ciel.

À son tour, il se pencha vers elle, lui souleva le menton.

— J'ai dit que je vous compterai une surtaxe. Et pas parce que vous me demandez de l'eau et de la lumière pour trois jours. Avec vous, on doit toujours s'attendre à du grabuge.

— Ôtez vos pattes de là ! ordonna Deck.

Jenny repoussa la main de l'employé qui recula et haussa les épaules.

— Ça va ! Je voulais juste dire que j'héberge des gens bien maintenant.

Qu'est-ce qu'il racontait ? Pour être envoyé ici, il fallait *déjà* avoir des ennuis. Bon sang, qu'est-ce qui pouvait arriver de pire à une personne ? Difficile à imaginer. Deck eut un petit rire qui lui valut un regard de reproche de Raidon.

— On est des gens bien, rétorqua Jenny, visiblement vexée. Et le terme de « grabuge » me semble un peu excessif.

L'employé ne se laissa pas fléchir.

— C'est bon ! grommela Jenny en posant quelques pièces sur le comptoir.

L'homme hocha brièvement la tête, ramassa l'argent et sortit une carte décorée d'une clef.

— Premier étage, au fond à gauche. On vient de boucher les trous.

— Merci beaucoup, dit Deck.

Prenant la carte, il hissa son sac sur l'épaule. Jenny le précéda dans l'escalier, Raidon fermant la marche.

Des trous qui ressemblaient à des impacts de balles avaient été effectivement rebouchés sur la porte de la chambre. Raidon y passa les doigts, mais s'abstint de faire un commentaire.

Une fois dans la chambre, Jenny laissa tomber son sac, puis se mit en devoir de délacer ses bottes.

— On peut en savoir un peu plus sur la suite, à présent ? hasarda-t-elle.

— Pas tant que tu ne m'auras pas tout dit à propos de ce grabuge auquel l'employé a fait allusion.

— C'est ça, défile-toi !

Elle se tourna vers Raidon, l'air affligé.

— C'est une habitude chez lui ? Quand il ne veut pas répondre à votre question, il en pose une à laquelle vous ne voulez pas répondre ?

Sur sa lancée, elle enchaîna à l'adresse de Deck :

— Écoute, je voulais juste savoir à quoi m'en tenir sur notre prochaine destination, parce que si tu as besoin d'informations, il faut que je sache quoi demander.

Deck la dévisagea longuement, avant de répondre :

— On doit rejoindre une station perdue dans l'arrière-pays, et il nous faut trouver la route la plus directe, et la moins dangereuse, pour s'y rendre.

Exhibant un crayon de sa poche, il lui prit la main et inscrivit des données topographiques sur sa paume.

Jenny regarda les chiffres à deux fois.

— C'est vraiment paumé, ton truc ! Mais bon, je vois. Considère cela comme détruit, ajouta-t-elle en indiquant sa main.

Sans attendre de réponse, elle sortit quelques vêtements de son sac, ôta ses bottes et se dirigea vers la salle de bains tout en se déshabillant.

Deck la suivit des yeux d'un air songeur. Depuis qu'ils avaient quitté l'armurier, elle n'avait pas tempêté, ne s'était pas emportée une seule fois. Elle d'ordinaire si prompte à défendre à cor et à cri son point de vue, quel qu'il soit, n'avait pas ouvert la bouche pour dire un mot de travers. Il la reconnaissait à peine.

Cette Jenny inconnue cachait son jeu et ses pensées – surtout les plus virulentes –, si bien qu'il ne savait plus trop comment la prendre. D'un côté, il se disait que c'était juste qu'elle avait mûri et n'était plus la jeune fille d'autrefois. De l'autre, il la suspectait d'être tout simplement plus intelligente qu'il ne l'avait supposé.

Il était partagé quant à ce qu'il lui avait dit durant le duel, mais il n'en demeurait pas moins qu'il croyait fermement que la révolution devait passer avant le reste. Et si Jenny se mettait en travers… Il fixa le plafond. Difficile d'imaginer ce que cela pouvait impliquer. Très difficile.

Elle sortit de la douche les cheveux mouillés, vêtue d'un grand T-shirt qui avait connu des jours meilleurs, Même Raidon leva les yeux de la bande dessinée qu'il lisait sur son agenda électronique.

Elle choisit une petite culotte noire qu'elle enfila sans vergogne devant eux. Deck l'étudia avec attention, essayant de deviner quel était son état d'esprit actuel. Mais elle semblait avoir complètement tourné la page sur leur affrontement chez l'armurier.

Ce qui n'était pas son cas à lui.

— À propos de tout à l'heure…

— Laisse tomber ! rétorqua-t-elle. J'y ai réfléchi pendant le trajet. On oublie. Du reste, on va vivre à l'étroit pendant quelque temps, alors on ne peut pas se permettre d'éprouver de la rancune.

— Non, j'aimerais m'expliquer un peu mieux.

— Qu'y a-t-il à expliquer ? Tu m'as embauchée pour un job. Je n'aurais pas dû m'attendre à autre chose. Mais j'ai compris maintenant. Boulot, boulot.

— Nous avons plus qu'une relation de travail, contra Deck d'une voix plus rauque qu'il ne l'aurait voulu. Et c'est là que le bât blesse. Je pense que notre problème…

— Notre problème, coupa-t-elle, c'est que nous ne savons pas exactement où se situe la frontière entre nos histoires personnelles et ce… *boulot*. Ce qui s'est passé chez l'armurier n'était qu'une… mise au point.

Raidon laissa échapper un son étranglé difficile à interpréter, tandis que Deck eut la distincte impression que la conversation lui échappait.

— Une mise au point répéta-t-il.

— Oui. À l'évidence, les choses sont différentes, désormais. Entre toi et moi, ça a toujours été impossible. Tu étais un prince, et moi une rien du tout. Certes, on était attirés l'un par l'autre, mais on avait une excuse, une raison pour ne pas céder à… hum…

— Je ne crois pas que le moment soit bien choisi pour parler d'un tel sujet, risqua Raidon.

— … une attraction chimique, acheva-t-elle.

— Et alors? demanda Deck. Que dois-je en conclure?

— Ce n'est pas que tu me désires, c'est simplement que tu ne peux m'avoir.

S'il en resta bouche bée, Raidon, derrière lui, faillit s'étrangler. Sans doute autant de rire que d'indignation.

Pour couronner le tout, Jenny lui tapota la joue, reprenant ainsi le total contrôle de la situation. Jamais personne n'avait osé traiter ainsi un prince de la dynastie des Han, pourtant, elle continua sans se démonter:

— Je suis ravie d'entretenir à présent des relations de travail avec toi, Deck. En tout bien tout honneur. Pas de sexe!

— Qu'est-ce que tu me chantes? s'exclama-t-il, exaspéré. Je voulais juste clarifier la situation à propos de ce qui s'est passé chez l'armurier. Cela n'a rien à voir avec le sexe, mais avec…

— La mort? suggéra-t-elle obligeamment. Oh, oh! le sexe et la mort. Tu me fais rire, Deck. Mais tu allais peut-être dire «une mission à remplir»?

Là-dessus, elle virevolta, puis se laissa tomber sur le lit, son T-shirt se soulevant dangereusement. D'un rapide revers de main, Raidon le rabattit sur ses cuisses.

Deck soupira et secoua la tête. Une heure auparavant à peine, elle le menaçait d'un poignard, à présent, elle gambadait à demi nue dans cette chambre d'hôtel en piaillant qu'il ne pourrait l'avoir – attaque autrement dangereuse que le duel à l'épée.

Elle jouait avec lui. Aucun doute. Et elle avait beau assurer qu'elle avait tiré un trait sur leur relation passée, il n'en croyait pas un mot.

La petite peste... acide comme une pomme verte, dangereuse comme une bombe à fragmentation. Intrépide, elle n'avait pas froid aux yeux, et c'était ce qu'il admirait le plus chez elle : cette faculté de se tirer de toutes les situations possibles et imaginables.

Qu'elle soit si totalement imprévisible l'excitait. Avec elle, on était loin des courbettes serviles des courtisans de palais. Même sous la coupe des puissants, elle n'en faisait qu'à sa tête.

Et elle avait entièrement raison : les choses entre eux n'étaient plus impossibles. Ils étaient des personnes différentes, désormais. Et quelle que soit la nature de la flamme qui brûlait encore entre eux, ç'aurait peut-être valu la peine de la ranimer. S'il n'avait eu cette révolution à mettre en œuvre. Et si Jenny ne lui en avait pas à ce point voulu de l'avoir abandonnée, puis quasiment forcée à revenir en Australie.

Elle était étendue à plat ventre à côté de Raidon et lisait par-dessus son épaule en battant l'air de ses jambes nues, pleines de bleus et d'écorchures, et cependant si belles.

La manière pour le moins houleuse dont son garde du corps et elle avaient fait connaissance semblait oubliée, et ils paraissaient à présent s'entendre comme larrons en foire. Raidon posa soudain la main sur l'épaule de Jenny et lui murmura quelque chose à l'oreille qui la fit rire. Deck s'offusqua lorsque ladite main glissa le long du dos de la jeune femme tandis que son possesseur lui racontait une autre blague.

Il ne put s'empêcher de se lever, mais évita à temps de se couvrir de ridicule en ordonnant à ce dernier de ne plus la toucher. De toute façon, le roturier qu'il était devenu n'avait plus le pouvoir de donner ce genre d'ordre.

Il y avait vraiment de quoi rire ! Il avait beau soutenir sans réserve le principe de la démocratie, il n'en demeurait pas moins un ancien prince en rupture de dynastie. L'étiquette, les lois de la bienséance, il avait encore du mal à s'en passer. Habitué à être obéi d'un claquement de doigts, il devait faire un effort pour accepter que ce ne soit plus le cas.

Jenny perçut-elle son humeur ? Toujours est-il qu'elle tourna soudain la tête et demanda :

— Ça va, Deck ?

— Oui. Je réfléchissais…

« Ne fais pas attention, ajouta-t-il en silence, je me comporte comme un collégien jaloux. » Décidément, il ferait vraiment mieux de se concentrer sur la révolution.

Raidon laissa tomber son agenda électronique.

— Bon, je vais prendre une douche.

Mine de rien, Deck prit sa place sur le lit. D'être allongé près de Jenny lui donna aussitôt envie de la toucher comme l'avait fait son garde du corps.

« Concentre-toi sur la révolution », se rappela-t-il. Il se racla la gorge.

— Dis-moi ce que tu sais sur le Parlement.

Elle roula sur le dos et le regarda :

— À l'origine, ce n'était qu'une société spécialisée dans la distribution de l'électricité. Ils contrôlent le courant dans l'ensemble du pays, et c'est grâce à cela qu'ils ont pu prendre le pouvoir. Ils ont créé un monde, une société… qui leur a permis de conserver les commandes sans que personne puisse s'y opposer. Tout tourne autour d'eux. Ils opèrent à partir d'un bâtiment qui se trouve non loin d'ici : le club du Parlement.

— Qui sont ces gens, exactement ?

— Des hommes comme toi, pour la plupart. Pas mal d'entre eux sont issus des classes aisées de pays assimilés par l'UCT. Tu pourrais adhérer sans peine au club ; ils accueillent volontiers les princes du sang, les chefs d'État en exil, les fils de famille, si tu préfères. Probablement parce qu'ils apportent de l'argent frais. Bien entendu, ils ont quasiment tous perdu leur statut initial dans le reste du monde ; ils ne sont aristocrates qu'ici.

— Curieux. S'ils contrôlent le pays, ils devraient être connus comme gouvernement en dehors de la colonie ; or ils ne sont nulle part reconnus comme un pouvoir légitime, que je sache. Tu es la première personne à me parler d'eux. Comment est-ce que tu expliques ça ?

— Ils veulent que ça se passe ainsi. Ils se fichent de ce qu'on pense d'eux ailleurs. Ils n'ont pas besoin du reste du monde pour vivre. Tout ce qu'ils veulent, c'est garder le pouvoir à Newgate – et les richesses qui en découlent. La diplomatie, le commerce international, ce n'est pas leur truc. Ici, tout arrive de Macao à travers le marché noir, et ça leur va comme ça. Ils ne s'intéressent qu'à une seule et unique chose…

— Qui est ?

Jenny fixa le plafond.

— Leur opiacé. L'hallucinogène qui leur permet de supporter la vie.

Deck siffla doucement.

— C'est pour ça, continua Jenny, qu'ils ne se mêlent pas aux autres nations. Je ne sais pas comment t'expliquer ça. Il faudrait que tu en rencontres un, mais ce n'est pas facile d'avoir une conversation sérieuse avec ces tarés.

— À quoi se droguent-ils, au juste ?

— À la méthonétylcétamine. Tu as déjà essayé les FP ?

— Non. Ce que je sais, c'est qu'ils induisent une forte dépendance et entraînent souvent la mort.

— Moi non plus je n'ai pas essayé. Je n'avais pas les moyens. Mais il paraît que c'est géant. Enfin, jusqu'à ce que ça te grille le cerveau, auquel cas tu perds la boule et tu finis par te flinguer ou flinguer le voisin.

— Quels sont les effets?

— Disons que les utilisateurs ont une perception différente de la réalité. Désolée, mais je ne peux pas t'expliquer mieux les choses. Il faut dire que je n'ai pas vraiment fréquenté les junkies quand je vivais ici. Et le Parlement...

— Je me demande pourquoi leurs familles les ont laissés tomber.

— Pourquoi tu m'as laissée tomber? lâcha-t-elle.

Il la regarda. Elle avait probablement envie de lui poser cette question depuis très, très longtemps.

Elle ajouta doucement:

— Tu étais mon seul ami. Tu savais que mon père n'était qu'un bon à rien bien avant que tout ça n'arrive.

Deck ne répondit pas, et un silence embarrassé s'abattit sur eux.

Jenny fut la première à le briser.

— La plupart des gens qui atterrissent ici sont des criminels expédiés par les systèmes pénitentiaires surpeuplés du reste du monde. Mais beaucoup ne sont que des – comment dire? – des gêneurs, expulsés, comme moi. Il suffit de payer le prix pour t'en sortir, mais ce n'est pas à la portée de tout le monde, loin de là. C'est comme ça qu'on se retrouve avec ce méli-mélo de personnes dont certaines veulent rester et d'autres ne peuvent s'en aller. Drogués, meurtriers, surendettés, espions trahis... et toutes sortes d'indésirables.

— Mais les fils de...

— Songe à tes relations avec ton frère. D'après ce que j'ai cru comprendre, s'il ne t'a pas envoyé moisir ici, c'était juste parce qu'il voulait te faire arrêter et juger pour haute trahison.

— Mon demi-frère, corrigea Deck. Kyber est mon demi-frère.

Jenny eut un sourire sans joie.

— Tu m'as l'air drôlement susceptible sur ce chapitre, dis-moi ! Tu es sûr que tu ne veux pas faire la révolution juste pour l'embêter ? Après tout, cette colonie a un jour appartenu à ta famille.

— Mes sentiments envers Kyber n'entrent pas en ligne de compte, rétorqua-t-il sèchement. La révolution va bien au-delà de ça. En outre, elle n'est pas censée démarrer *en Australie*. Ce pays ne devrait s'y associer que par la suite. Pour l'heure, il est surtout utile pour abriter les opérations destinées à favoriser les objectifs de la Voix de l'Ombre et des rebelles de l'UCT prêts à intervenir.

L'UCT, l'Union des Colonies de la Terre, comprenait d'immenses territoires dont les ex-États-Unis d'Amérique. Loin de tout idéal de liberté, elle ne songeait qu'à écraser d'impôts ses citoyens.

— En vérité, ajouta Deck, si la révolution partait de Newgate, ce serait le meilleur moyen pour attirer l'attention sur les Messagers de l'Ombre et saboter leur mission. Mais ça viendra. En attendant, je préférerais ne pas trop parler de mes projets.

Il n'en avait déjà que trop dit. Même à Jenny.

— À ta guise, répondit-elle. Mais, à mon avis, Newgate pourrait bien ne jamais participer à la révolution. Vu ce que cet endroit est devenu, la seule bonne raison pour la vouloir serait d'empêcher quelqu'un d'autre de la faire le premier.

— Oui. En fait, je me demande quelles sont les intentions de Kyber.

— Ce n'est pas un mauvais chef d'État. Il traite plutôt bien son peuple. Tu as sans doute du mal à voir…

— Je ne vois que trop bien, coupa Deck. Pas toi ? Je m'étonne que tu lui accordes le bénéfice du doute !

Tu as vécu dans les bidonvilles de Macao, tu étais aux premières loges pour constater comment il traite son peuple. En outre, c'est lui qui t'a expulsée.

Raidon sortit de la salle de bains, une serviette nouée autour de la taille. Les sourcils froncés, il s'approcha de la fenêtre et jeta un coup d'œil dans la rue.

— Hé! Il y a une espèce de parade en bas. Sinon, ça a l'air tranquille…

Ni Deck ni Jenny ne firent attention à lui.

— Pour autant que je le sache, répliqua-t-elle, c'est son père, l'empereur, qui a laissé Macao pourrir. J'ai entendu dire que le prince Kyber s'efforçait d'améliorer la situation. Quant à mon expulsion… à l'époque, je ne connaissais que toi. À ses yeux, je n'étais que la fille de l'homme qui avait voulu assassiner son père. À sa place, je n'aurais pas davantage accepté de me garder au palais. Il ne me devait rien. Tandis que toi, tu étais mon ami!

Deck laissa passer l'orage avant de faire remarquer:

— La monarchie n'est utile à personne. Cette révolution résoudra les problèmes du monde en s'attaquant à la racine du mal, à savoir, ceux qui veulent soumettre les peuples au gré de leurs caprices. Elle leur rendra un idéal…

Jenny eut une grimace de dédain.

— Bonjour, la langue de bois! Parfois, j'ai l'impression que tu oublies les gens au profit de tes belles théories. La révolution doit être faite pour et par le peuple. Tu devrais pourtant le savoir!

— Oui, m'dame!

— Dans ce cas, tu comprendras que les gens ne pensent d'abord qu'à leur propre intérêt. Entre un monarque et un chef d'État élu, franchement, tu vois une différence, toi?

— Tu ne décris pas les gens en général, mais des individus égoïstes.

Deck regretta aussitôt cette sortie. Mais que Jenny mette sur le même plan Kyber et un dirigeant élu démocratiquement le rendait malade. Comment pouvait-elle pardonner à ce tyran ?

— Alors, comme ça, tu me trouves égoïste ! sifflat-elle. Comme tu veux, quant à moi, j'appelle ça se débrouiller. Je n'ai pas eu le choix. Personne ne s'est jamais porté volontaire pour me donner un coup de main. Ni mon père ni le palais, et certainement pas toi.

— Je refuse de poursuivre cette conversation, décréta Deck. Elle est destructrice pour l'esprit d'équipe que nous devrions développer...

— C'est là que ça s'arrête, lança Raidon.

— Parfait ! s'exclama Jenny. De toute façon, j'ai dit ce que j'avais à dire.

— Non, rectifia Raidon. Je parlais de cette espèce de cortège en bas.

Deck se précipita vers la fenêtre, suivi de Jenny. Dans le crépuscule, il aperçut des silhouettes alignées le long du trottoir qui brandissaient des torches, formant comme une haie d'honneur. À droite, à l'extrémité de la rue, d'autres silhouettes émergèrent de la pénombre.

Jenny laissa échapper un juron. Elle attrapa sa veste.

— Ce n'est pas un cortège, Raidon. C'est le Parlement. Ils envoient des émissaires. Il faut filer d'ici.

Trop tard. On frappait à la porte.

8

Alors que les coups redoublaient à la porte, ils s'affolèrent, jetant leurs habits dans leurs sacs, revêtant leurs gilets pare-balles... Les munitions roulèrent sur le sol, parmi les articles de toilette et...

— Ouvrez cette satanée porte !

Le réceptionniste. Jenny poussa un soupir de soulagement.

Raidon éteignit les lumières après avoir fait signe à ses compagnons de se plaquer contre le mur derrière la porte. À quatre pattes sur le sol, il examina le rai de lumière provenant du corridor. Puis il se releva, ôta le verrou et entrebâilla le panneau, juste de quoi glisser le canon de son pistolet.

— Quoi ?

— Je suis seul, ouvrez cette fichue porte !

Deck regarda Jenny. Elle hocha la tête, et tous deux levèrent ensemble leur arme.

Sans cesser de viser le front de l'homme, le garde du corps ouvrit en grand pour constater que son interlocuteur n'avait pas menti : il était seul, et trépignait.

— Pouviez pas faire plus de bruit ? grommela Raidon.

L'autre entra et marcha droit sur Jenny, le doigt pointé en avant :

— Vous me causez des ennuis. Alors soit vous payez double, soit vous partez !

— Il s'agit bien de ça !

Sans relever, il se dirigea vers Deck en brandissant une carte de visite à l'ancienne :

— Vous, ils vous attendent.

Deck s'en empara ; l'employé tourna les talons et sortit sans plus d'explication.

— « Le Parlement souhaiterait avoir le plaisir de votre visite », lut-il à haute voix. Ça m'a l'air plutôt amical, commenta-t-il.

— Ils n'ont rien d'amical, rétorqua Jenny.

— En tout cas, ils connaissent les bonnes manières.

— Question de point de vue.

Elle jeta un coup d'œil à la carte.

— Apparemment, ils savent qui tu es, ou du moins que tu as du sang bleu. D'où l'invitation. Je me demande néanmoins ce qu'ils te veulent. C'est quelqu'un du train qui a dû les avertir, ou du poste de douane… Mais je doute qu'ils t'aient identifié précisément. Sinon, ils l'auraient fait savoir.

— Que proposez-vous ? demanda Raidon.

— De se tailler vite fait, répliqua Jenny. La bagarre, c'est toujours en dernier ressort. Quand on est acculé. Parce que si on en touche un, ça n'arrangera pas nos affaires.

Deck paraissait ne pas en croire ses oreilles.

— Tu conseilles de fuir ?

— Bof, il n'y a que quelques centaines de personnes dehors. Tu crois qu'on ferait mieux de se battre ?

— Ce n'est pas ce que je veux dire. Mais, je pense que s'ils me considèrent d'un niveau social équivalent au leur, j'ai peut-être intérêt à jouer la carte diplomatique. À leur laisser entendre que je m'apprêtais à leur rendre visite. Ils ne doivent pas s'attendre à ça. En revanche, si on fuit, ça paraîtra louche.

Bien vu. Mais ce n'était pas le moment de passer aux aveux.

— N'y va pas, Deck, plaida-t-elle. Ne sois pas ridicule. Quelque chose me dit que les occasions ne vont pas manquer de te rattraper. Franchement, je n'ai aucune envie d'aller te récupérer là-bas.

Raidon retourna à la fenêtre tout en tripotant machinalement la sécurité de son pistolet.

Une sourde rumeur montait de la foule, à laquelle se mêlaient des cris et des aboiements.

— C'est la nuit des morts vivants ou quoi ? commenta-t-il. Il faut prendre une décision vite fait.

— Vous ne croyez pas si bien dire, murmura-t-elle. On se barre.

Deck ferma son gilet pare-balles et enfila sa veste par-dessus.

— Attendez-moi ici. Je descends voir ce qu'ils veulent.

— Sûrement pas ! intervint Raidon en le retenant par le col.

Jenny écarquilla les yeux.

— C'est encore moi qui décide ! lui rappela Deck d'un ton farouche. Si tu ne veux pas me suivre, tu es libre de partir.

— D'accord, vous décidez, sauf quand il s'agit de vous empêcher de mettre votre vie en danger alors qu'il y a d'autres choix.

Dehors, le brouhaha grimpa d'un cran, et Jenny gagna la fenêtre. Une foule compacte se pressait à présent à l'extrémité de la rue. Tout à coup, un groupe du Parlement s'en détacha.

Ils chevauchaient des hybrides noirs qui caracolaient et se cabraient, effrayés par les torches, les chiens, le tumulte. Les gens poussaient à leur passage des acclamations d'une allégresse un rien démoniaque. À leur mise, on devinait que c'étaient de hauts dignitaires : gibus, vestes d'équitation rouges, culottes blanches, giletières rutilantes, bottes cavalières noires – mais aussi lunettes de vision nocturne aux reflets vert pâle, coudières et jambières blindées, sabres et mitraillettes accrochés aux harnachements de leurs chevaux.

Équipés pour la chasse.

Jenny étouffa un juron.

— Je conseille de se tirer! lança-t-elle. Et en vitesse!

Une lueur agressive étincela dans l'œil de Deck.

— Si j'en crois ce que tu m'as dit, il suffirait de quelques petits cadeaux pour amadouer ces gens.

Raidon implora Jenny du regard. Hochant la tête, elle ouvrit la porte et il vérifia qu'il n'y avait personne dans le corridor.

— On voit que tu as l'habitude de faire céder ton monde à coups de pourboires.

Comme il ne cillait pas, elle s'emporta:

— Écoute, Deck! Tu m'as embauchée pour la bonne raison que je sais comment les choses se passent par ici. Alors, quand je te dis que tu n'as pas intérêt à descendre voir ces bouffons, il faut me croire sur parole! Si tu savais de quoi les membres du Parlement sont capables, je te laisserais faire. Mais tu me paies pour faire un boulot, donc, je vais le faire.

Raidon les appela du corridor.

— On court, ordonna Jenny entre ses dents.

Joignant le geste à la parole, elle s'élança derrière le garde du corps. À son grand soulagement, elle constata que Deck la suivait.

Ils filèrent vers la fenêtre opposée et, d'un commun accord, préférèrent grimper plutôt que donner dans le piège tendu par le Parlement. Rabattant les volets, Raidon constata que la foule s'était également amassée devant cette façade, guettant ses proies au pied de l'escalier de secours.

Deck pivota et redescendit le couloir, ses compagnons sur ses talons. Ils voulurent grimper à l'étage supérieur, mais, à peine avaient-ils ouvert la porte de la cage d'escalier, qu'une masse de gens se rua sur eux. Ils n'eurent d'autre choix que de dévaler les marches quatre à quatre, puis de débouler dans la rue. Jenny crut sa dernière heure arrivée: des mains jaillirent de partout, l'agrippant, tirant ses vêtements, la frappant.

Elle sortit son couteau et n'hésita pas à s'en servir pour se tailler un chemin dans toute cette chair qui lui barrait la route, sans tenir compte des cris de ses victimes.

Le son d'un cor déchira l'air.

Non loin de là surgirent les membres du Parlement et leur cohorte de chiens de chasse, les mains levées pour demander le silence. La foule obtempéra, non sans regimber quelque peu.

Les hurlements s'apaisèrent et, petit à petit, un silence total tomba sur la rue, interrompu de temps à autre par l'aboiement d'un chien. Les gens s'écartèrent, abandonnant leurs trois victimes essoufflées au beau milieu de la chaussée.

Ayant repris ses esprits, Jenny s'aperçut que Raidon saignait du nez ; il se tamponnait avec un mouchoir et regardait Deck se relever devant les membres du Parlement qui avaient mis pied à terre.

Les cinq hommes se tenaient en formation, avec un lieutenant à chaque extrémité. D'autres membres du club se joignirent à eux, observant un alignement en pyramide. Ces derniers arboraient les mêmes longs favoris, cols empesés et cravates nouées avec soin ; ils avaient des chiens en laisse, les empêchant de bondir sur leurs proies.

Jenny glissa un regard oblique à Deck. Il était dépenaillé, et semblait bouillir d'impatience et de rage. Elle l'implora mentalement de ne surtout rien tenter.

Le premier homme s'inclina et souleva légèrement son chapeau en guise de salut, puis, désignant l'extrémité opposée de la rue bordée de porteurs de torches, il murmura :

— Courez !

Deck jeta un regard à Jenny puis à Raidon ; ils n'avaient pas le choix.

Côte à côte, ils s'élancèrent en même temps dans un bizarre steeple-chase, évitant les tonneaux d'ordures qui parsemaient leur chemin, sautant par-dessus les seaux d'eau et autres détritus déposés par les spectateurs dans le but avoué de les faire trébucher. Ce qui arriva à Deck, qui s'étala en essayant d'esquiver un morceau de bois que quelqu'un avait lancé dans sa direction.

— Ne vous arrêtez pas ! cria-t-il à ses compagnons en se relevant d'un bond juste avant que les chiens le rattrapent.

Une énorme charrette abandonnée leur barrait la route. Ils l'escaladèrent et continuèrent à courir.

Jenny avait les poumons en feu. Elle ne tiendrait pas longtemps à ce rythme. Déjà les chiens la rejoignaient, montrant les dents, le museau écumant, les muscles saillants sous le poil brillant – ils devaient passer leur existence à chasser.

La rue fit une courbe, et elle reconnut le quartier où ils arrivaient. Au même instant, elle sentit des crocs riper sur le cuir de ses bottes. Pour peu qu'un des chiens parvienne à les enfoncer solidement, il ne la lâcherait plus, elle tomberait. Et alors… ?

À bout de souffle, elle ralentit l'allure. Elle perdait du terrain, mais tant pis. Le Parlement les avait dirigés droit vers l'arrière du club protégé par de hauts remparts ornés de statues d'inspiration romaine. Ils étaient piégés.

Raidon fit volte-face en même temps qu'elle pour affronter la meute hurlante qui s'apprêtait à la curée.

Jenny se pencha en avant pour tenter de retrouver son souffle, et Raidon l'imita, les paumes sur les tempes, affolé par ce qu'il voyait : Deck aux mains de plusieurs hommes.

— Je me fiche de ce qu'ils veulent, cria-t-il, fou de rage. Ils ne l'auront pas comme ça !

— Et qu'est-ce que vous espérez à un contre mille ? Ils vont vous tuer. Ils n'attendent qu'un geste. On trouvera autre chose…

Une lueur meurtrière s'alluma dans son regard. Tout plutôt que de se rendre sans résister. Il plongea sur l'un des gardes qui s'étaient emparés de Deck, et ce fut la ruée.

Quelqu'un sauta sur Jenny par-derrière, et elle s'affala dans le caniveau. Un pied sur son dos l'empêcha de se relever, tandis qu'une main lui enfonçait le visage dans l'eau infecte. Elle l'y maintint jusqu'à ce qu'elle réussisse à se libérer à force de se débattre.

Toussant et hoquetant, elle chercha Deck du regard. Encerclé par la populace, il se protégeait les yeux des flammes des torches.

Lentement mais sûrement, les membres du Parlement s'étaient écartés pour laisser leurs gens se charger de Jenny et de Raidon tandis qu'ils s'occupaient du seul qui les intéressait : celui qui provenait de leur monde.

— Ils n'en veulent qu'à Deck, comprit Raidon.

— Ça suffit ! cria quelqu'un.

D'autres membres du Parlement firent reculer la foule. Mais elle en voulait encore. Puisqu'on lui interdisait cette proie de choix, elle se rabattrait sur les deux autres. Des hommes se ruèrent vers un poteau électrique qu'ils secouèrent violemment jusqu'à ce qu'il s'effondre dans un jaillissement d'étincelles. La foule rugit son approbation.

— Écartez-vous de l'eau ! hurla Raidon.

Jenny rampa à reculons.

— Ravi de faire votre connaissance, monsieur, entendit-elle un dandy lancer à l'adresse de Deck. Si vous voulez bien me présenter vos mains…

Cela faisait belle lurette qu'il avait perdu ses armes. Lentement, il leva les bras. Sûrs de ne courir aucun risque, les autres lui tombèrent dessus.

Jenny voulut crier, mais l'eau sale qu'elle avait ingurgitée ne lui permit que d'émettre un cri étranglé. Deck paraissait si fier, si fort, alors même qu'on le malmenait pour le faire entrer contre sa volonté dans un attelage tiré par des chevaux dont la portière était ornée du *P* doré de Parlement. Elle se sentit défaillir quand la voiture s'éloigna, les habitants de Newgate s'inclinant sur son passage

Les oubliant, Raidon et elle, la foule commença à se disperser.

9

— C'est pas bon, ça, maugréa Raidon. Pas bon du tout.

Il vida le contenu de son sac sur le toit, envoyant promener divers objets sur le gravier. Soudain, il s'immobilisa, puis courut à l'autre bout et vomit tripes et boyaux. Voilà une heure qu'il était malade à cause de l'eau infectée qu'il avait dû avaler. Jenny, quant à elle, préférait ne pas savoir pour quelle raison les mêmes parasites ne lui faisaient aucun effet…

Il revint près d'elle, fourra dans sa bouche une poignée de pilules d'antibiotiques qu'il fit passer avec une gorgée d'eau. Après quoi, sans une plainte, il se remit au travail.

Elle lui tapota l'épaule pour le réconforter et poursuivit sa tâche qui consistait à creuser un trou pour y fixer un grappin.

— On va s'en sortir, assura-t-elle.

— Vous croyez qu'ils ne lui feront pas de mal ?

— Je n'en sais rien. Je n'ai aucune idée de ce qu'ils ont derrière la tête. Mais je ne vois pas pourquoi ils le tueraient maintenant. Pourquoi le capturer, dans ce cas ? Ils pouvaient le mettre en pièces sur place. J'espère juste qu'on va le retrouver avant qu'ils l'aient trop abîmé.

— Vous plaisantez ? « Abîmé » ? Sa Seigneurie n'est pas un vulgaire paquet !

— Hé, on se calme ! Quand on y pense, ça semble assez normal. J'aurais dû m'y attendre.

— À quoi ? Vous trouvez normal que Sa Seigneurie se soit fait enlever par une bande de cinglés en hauts-de-forme ?

— Non, mais c'est le genre de chose qui peut arriver dans un endroit pareil. Les membres du Parlement font une démonstration de puissance, histoire de rappeler qui commande, de marquer leur territoire. Ensuite, ils attendent qu'on réagisse pour voir ce qu'on a dans le ventre.

— Des centaines de gens arrivent à Newgate chaque jour. Pourquoi est-ce qu'ils s'intéresseraient à nous ?

— On aurait dû truquer le sang de Deck d'une façon ou d'une autre avant de le laisser analyser par la douane. Ça l'aurait rendu malade pendant le voyage, mais on n'en serait pas là, à présent. De toute évidence, ils ont dû détecter ses origines aristocratiques.

— Ils savent qui il est ?

— Non, mais ils savent *ce qu'il est*. Ils ont repéré que c'était l'un des leurs.

— Ce n'est *pas* l'un des leurs, gronda Raidon en passant devant elle pour installer le grappin.

Jenny le repoussa.

— Vous m'inquiétez. Je n'aurais pas cru que vous étiez du genre à vous affoler.

— Je ne m'affole pas. Seulement, je n'ai pas l'habitude d'improviser.

— Ah bon ? Eh bien, vous avez de la chance, parce que moi, c'est une de mes spécialités.

— C'est une façon de dire que vous attirez les ennuis ? Un de ces quatre, quand on en aura fini avec cette opération, il faudra que vous me racontiez ce qui vous est arrivé la dernière fois que vous êtes venue ici.

— Arrêtez de vous inquiéter !

Mais il semblait plus soucieux que jamais. Elle acheva de vérifier les attaches de son harnais et prit le garde du corps par les épaules pour l'obliger à la regarder.

— Ils s'intéressent beaucoup trop à Deck pour lui faire du mal. Et nous, on progresse vite. Le temps que je me retrouve à l'intérieur de ce fichu club, il n'y en a pas pour une demi-heure.

— C'est suffisant pour lui tirer une balle dans la tête.

— Croyez-moi, ils ne souhaitent pas le tuer. Ils veulent plutôt... l'assimiler... ou un truc de ce genre. À la limite, il se pourrait même qu'ils veuillent qu'on le récupère. C'est bon, j'ai accroché le harnais au grappin. Tirez dessus, et dites-moi ce que vous en pensez.

Raidon s'exécuta et ne put réprimer une expression admirative. Puis il regarda le boulevard qui s'étendait à leurs pieds, le clocher massif du bâtiment qui dominait le mur d'enceinte.

— Vous êtes sûre que ça ne vaut pas mieux d'entrer par la grille pour négocier sa libération ? risqua-t-il. Je croyais que c'était moi les muscles, et vous le cerveau...

— Bien joué, mais désolée, pas question. Pour commencer, on n'aurait jamais passé le poste de garde. Ils ont pour instruction de ne pas laisser entrer le petit peuple. Ensuite, j'ai de bonnes raisons pour ne pas vouloir qu'on m'identifie ou qu'on se rappelle de moi. En gros, entrer de mon plein gré dans le club du Parlement équivaudrait à un suicide, or je caresse le rêve impossible de quitter de nouveau ce pays pourri.

Il la considéra d'un regard pénétrant.

— Bien, conclut-elle, je suis prête. Deck a intérêt à ce que ça en vaille la peine, je vous le garantis !

— Pas besoin de faire semblant.

— Pardon ?

— Pas besoin de faire semblant de ne pas vous inquiéter pour lui et de ne pas avoir peur. Moi, je m'inquiète et j'ai peur, mais ça ne me rend pas moins compétent pour autant. Ça saute aux yeux que vous savez ce que vous faites. J'admets que j'ai eu des doutes au début, mais plus maintenant.

— Merci, balbutia Jenny, surprise. J'apprécie beaucoup.

— Ça vaut ce que ça vaut, mais Sa Seigneurie vous considère davantage comme une grande gueule que comme un danger public.

Elle eut un sourire de dédain, mais ne put s'empêcher de voir là un compliment de la part des deux hommes.

— Ne croyez pas que ça me surprenne, riposta-t-elle. Cela dit, il y a un truc à votre sujet que je ne comprends pas bien.

— Oui ?

— Pourquoi faites-vous tout ça ?

— Je vous demande pardon ?

— Pourquoi est-ce que vous restez avec lui ? Pourquoi est-ce que vous risquez votre vie pour lui alors qu'il ne fait plus partie de la famille impériale ?

Raidon esquissa un sourire amer.

— Ce n'est pas ça… J'ai fait un serment, Jenny. J'ai juré sur ma vie et sur celle de ma famille que je le défendrais quoi qu'il arrive.

— Elle est bien bonne, celle-là ! Vu qu'il ne croit plus en la monarchie, on aurait pu penser qu'il libérerait ses vassaux de leur serment.

— Il l'a fait, mais moi, j'ai refusé. J'ai donné ma parole.

— Vous êtes fou !

Il secoua la tête.

— Je suis ce que je suis, voilà tout, fit-il, avant d'ajouter, le visage plus dur, soudain : Et c'est pourquoi je dois vous dire que, même si je vous aime beaucoup, il y a des choses que je ne peux pas tolérer.

Jenny se raidit et le considéra d'un regard acéré :

— Quoi, par exemple ?

— Vous et Sa Seigneurie. N'oubliez pas qu'il a un destin, Jenny.

— Un destin ? Hé !

Elle envoya un coup de pied dans les graviers.

— Cet épisode dans l'hôtel, reprit-il. Ces provocations, ces sous-entendus, ça ne l'aide en rien dans sa mission.

Elle pouffa de rire.

— Ça marche, alors ?

— Quoi qu'il en dise, il reste de sang royal. Il est au-dessus de nous. Aussi, je vous en prie, ne vous mettez pas en travers de son chemin. Sinon... vous aurez affaire à moi.

Le sourire de Jenny disparut. Elle regarda longuement Raidon, droit dans les yeux, puis se remit à tester le grappin.

— Vous vous rappelez ces ennuis dont on parlait tout à l'heure ? lâcha-t-elle, changeant de sujet abruptement. Ceux que j'ai eus ici ? Eh bien, c'est le genre d'ennuis qui font qu'on n'a pas intérêt à se retrouver dans une situation où l'on risque de vérifier votre ADN pour établir votre profil. L'important, c'est de rester anonymes.

— Ah oui ? Et en entrant par la fenêtre vous ne vous ferez pas remarquer ?

— Ça vaut mieux que d'entrer par la porte. Le tout est de ne pas traîner pour sortir Deck de là.

— S'il est capable de marcher, objecta Raidon.

— Tenez-vous-en au plan. On ne peut pas prendre le risque que vous vous fassiez coincer et... disons, supprimer.

— Ça me paraît inévitable. S'ils comptent « supprimer » Sa Seigneurie, il me semble qu'à un moment ou à un autre ils chercheront à savoir qui l'accompagne.

— Vérifiez plutôt si ça tient.

Elle tira de toutes ses forces sur le grappin qui ne bougea pas. Puis elle inspecta son objectif avec des jumelles.

— Hologramme de vitraux. Super ! Ça ne devrait pas faire de bruit.

Raidon lui tendit son casque.

— Tenez, prenez-le, il est réglable.

Elle s'exécuta, abaissa la visière.

— Ce truc est pas mal, commenta-t-elle.

Soudain, elle sentit son communicateur vibrer à sa taille. Un flot d'adrénaline l'envahit tandis qu'ils se regardaient, l'air effaré.

— Il a déclenché le localisateur !

— C'est moi qui devrais y aller, déclara Raidon. Cette corde supportera très bien mon poids.

— Sur cette trajectoire et avec cet équipement, vous tomberiez comme une pierre et vous écraseriez contre le mur, trois mètres sous la fenêtre ! Désolée, mais il va falloir me faire confiance. À présent, vous descendez dans la rue et vous nous dénichez un véhicule de location comme convenu. On reste en contact ; tenez-vous prêt à me donner un coup de main.

— Franchement, ça m'a l'air très mal parti. Quand on aura sorti Sa Seigneurie de là, je veux qu'on s'assoie et qu'on planifie sérieusement la suite.

— Comment voulez-vous planifier quoi que ce soit alors qu'on ne sait même pas ce qui se passe ?

— Avec tout le respect que je lui dois, j'admets qu'il serait temps que Sa Seigneurie fasse le point avec vous. Personnellement, je suis prêt à lui faire confiance quelles que soient les circonstances, mais si l'on veut fonctionner en tant qu'équipe, il faut que Lord D'ekkar vous mette dans la confidence.

Brusquement, il la prit par les épaules et la tourna vers lui :

— Je sais que ce que j'ai dit tout à l'heure ne vous a pas vraiment plu, mais je...

Il l'étreignit brièvement.

— Je veille toujours sur vous. Soyez prudente, petite !

— Ne vous inquiétez pas.

Elle vérifia une dernière fois son équipement, puis traversa le toit au pas de course et s'élança dans le vide.

10

Deck était affalé contre le dossier d'un fauteuil de velours capitonné qui sentait le moisi et le parfum bon marché. Il avait été amené au club du Parlement dans un attelage tiré par des chevaux, trempé, les mains liées, la tête douloureuse après cette «chasse», comme ils l'appelaient.

Deux questions le taraudaient: qu'étaient devenus ses compagnons, et comment quitter cet endroit au plus vite.

Bien sûr, il n'aurait la réponse à la première qu'après avoir répondu à la seconde. La meilleure stratégie pour sortir de là consistait, lui semblait-il, à dire la vérité aux membres du Parlement. Puisqu'on le voulait aristocrate, aristocrate il serait. Il ignorait cependant si ces gens connaissaient son identité. Aussi, à moins qu'ils ne l'exigent, il ne leur fournirait aucun détail superflu.

Plusieurs personnes entrèrent dans la pièce. Sa vision était encore un peu floue, mais il repéra leurs vestes de couleur vive. Ces gens se pavanaient comme des paons. Eh bien, soit, il les imiterait si besoin était. Ils verraient qu'ils avaient affaire à un lord, tombé en disgrâce, certes, mais comme la plupart des membres de ce club très particulier.

À mesure que la pièce s'emplissait, Deck comprit qu'il allait avoir un large public. Il tâcha de s'asseoir aussi droit que possible, cligna des yeux et s'efforça d'arborer une allure digne en dépit de ses liens et de son statut de prisonnier. Tout était dans l'apparence.

Deux laquais le détachèrent, et il inclina brièvement la tête en signe de remerciement.

— Belle chasse! dit l'un des serviteurs à l'autre, une lueur de respect dans le regard.

— Je crois que les gens étaient contents, répondit son compagnon.

Deck se comporterait avec élégance et en appellerait à leur similitude de condition. Il ne les combattrait qu'en cas d'absolue nécessité.

Rouges, le regard vitreux, comment croire que ces gens détenaient tous les pouvoirs à Newgate? Ils paraissaient à peine capables de se lever le matin. Réprimant une moue, Deck détourna les yeux. Qu'avait-il de commun avec eux?

Mais ce n'était pas le moment de flancher.

Il posa les mains sur la table devant lui pour bien montrer qu'il n'était pas animé de mauvaises intentions. Il dut résister à une envie pressante d'essuyer ses paumes moites.

— C'est votre première visite à Newgate?

— Oui.

— Nous espérons que vous passerez un agréable séjour ici.

— Merci beaucoup. Je n'en doute pas.

Incroyable! Ils l'avaient pourchassé comme un animal, enlevé, ligoté; ils avaient battu ses compagnons; et voilà qu'ils prétendaient jouer les gentlemen. Curieuse conception de l'hospitalité!

— Nous tenons à faire la connaissance de tous les membres de la noblesse qui arrivent ici. Je suis lord James. Et vous?

Deck réfléchit à la hâte.

Inutile de mentionner ses liens de parenté avec Kyber. Mieux valait leur donner le nom de sa mère: Valoren. Lui-même ne l'avait adopté que récemment, après avoir découvert la vérité sur sa naissance. Quant à celui de Han, qui avait été le sien jusque-là, il y avait renoncé – alors inutile de se trahir.

— Deck Valoren. Enchanté de faire votre connaissance.

— Ah, lord Valoren ! Parfait. Pardonnez-moi d'être si direct, enchaîna le dandy, mais il n'y a en général que deux raisons pour qu'une personne de votre qualité fasse le voyage jusqu'ici : soit vous êtes un nouveau résident, soit vous venez pour affaires. Puis-je savoir ce qui vous amène chez nous ?

Deck s'éclaircit la voix, puis se redressa sur son siège, histoire de gagner du temps. Fallait-il jouer les aristocrates en exil pour dettes ou les trafiquants louches ? L'un ou l'autre pourrait fonctionner. Mieux valait faire croire qu'il cherchait à faire des affaires. Ainsi mettraient-ils son attitude sur le compte d'une conscience plus ou moins tranquille à leur égard. Toujours se rapprocher au maximum de la vérité.

— Je suis là pour affaires, répondit-il.

Un Parlementaire sniffa une pincée de poudre, un autre versa ce qui ressemblait à du sherry dans un répugnant petit verre.

— Je cherche à investir, ajouta Deck. À l'extérieur de Newgate.

Celui qui paraissait être le chef posa son verre.

— Savez-vous qui nous sommes ?

— Oui. Et j'étais impatient de faire votre connaissance.

L'homme haussa les sourcils.

— Vraiment ? Nous ne faisons pourtant rien pour être connus en dehors de Newgate. Au contraire. En outre, voyez-vous, nous appliquons… comment dire ? une taxe… à toutes les entreprises.

— Bien sûr, je comprends.

— À présent, si vous voulez bien nous dire en quoi consistent vos affaires.

Deck les dévisagea l'un après l'autre. Ils se tenaient droits, presque raides, l'air indifférent. À en croire Jenny, ils ne savaient que collecter des impôts. Autant

95

leur prouver immédiatement qu'il avait prévu la chose et était prêt à coopérer. Peut-être que cela se révélerait aussi simple que de négocier des honoraires et qu'il sortirait ensuite librement de ces lieux.

— J'envisage d'acquérir une petite usine pour y mettre au point des projets de télécommunications. Il me faudra disposer d'électricité, que je suis évidemment disposé à payer dans la mesure de mes moyens.

— Parfait ! Et vous comptez vous rendre à cette usine ?

— Oui, en compagnie de mon équipe.

— Très bien. Lord Quinn vous accompagnera.

Deck se pencha en avant :

— Je vous demande pardon ?

— Lord Quinn se joindra à vous afin d'évaluer le montant exact de la taxe à appliquer en fonction de vos besoins en électricité.

— Si je puis me permettre, mon cher, ce ne sera pas un voyage d'agrément. Nous allons nous enfoncer dans l'arrière-pays.

— Je suis persuadé que lord Quinn sera enchanté de prendre un peu l'air.

— Pourquoi ne pas en discuter dès maintenant, afin de trouver un accord qui vous éviterait d'envoyer un de vos pairs sur ces routes difficiles ? insista Deck.

Lord James s'adossa à son siège et de sa main couverte de bagues il serra son verre.

— Non, lâcha-t-il d'un ton sans réplique, le regard menaçant.

Deck faillit protester, puis se ravisa. Visiblement, la conversation était close. Dommage. Car il préférait de loin parler affaires que se joindre à leur sinistre mascarade. C'est alors que la porte s'ouvrit sur l'un des lieutenants.

— Voilà lord Quinn. Nous pouvons commencer.

Lord Quinn était un homme soucieux des apparences ; il semblait avoir fait un brin de toilette pour l'occasion. Il s'inclina pour saluer Deck, tout en étudiant attentivement sa physionomie, puis s'appuya au manteau de la cheminée comme s'il souhaitait offrir son meilleur profil, encore que, aux yeux de Deck, il n'en possédât pas vraiment. D'un geste qui se voulait désinvolte, il sortit de sa poche un étui en argent terne et cabossé, qui contenait trois cigarettes. Il en offrit une à Deck, qui avait déjà été allumée plusieurs fois, et rit doucement lorsque ce dernier refusa poliment. Après un nouveau salut, il en prit une pour lui-même.

À l'image de plusieurs autres personnes présentes dans la salle, Quinn semblait n'être qu'un deuxième couteau, un laquais au service du triumvirat qui tenait visiblement les rênes. Deck savait d'expérience que ces sous-fifres, proches du pouvoir mais incapables de l'atteindre, se révélaient les moins prévisibles des partenaires. Et les plus dangereux des adversaires.

Les hommes se rassemblèrent autour de lui, et il comprit que cette réunion, qu'il avait entamée dans le rôle du gibier, n'avait pas tant pour objet de parler affaires que de procéder à une sorte d'initiation fraternelle. Pourquoi ne lui posaient-ils pas davantage de questions ? Était-ce parce qu'ils avaient déjà appris tout ce qu'ils désiraient savoir ?

Lord Quinn ouvrit une mallette doublée de satin d'où il sortit un petit plateau et une seringue qu'il déposa sur la table. Ces objets étaient si sales que Deck ravala un haut-le-cœur. Des tuyaux de plastique, des capsules et des couvercles, ainsi qu'une serviette maculée de taches brunes s'y ajoutèrent.

L'odeur douceâtre qui émanait de son fauteuil lui flanquait la nausée. À moins que celle-ci ne soit le résultat des coups qu'il avait reçus sur la tête...

D'horribles souvenirs lui revinrent en mémoire. Les coups dont on l'avait abreuvé dans une prison de Macao ; les liens serrés qui l'entravaient ; ce goût de sang dans la bouche, et cette panique oppressante qui l'empêchait presque de respirer.

Il serra les dents. Il s'en était sorti une fois. À cette différence près que Raidon avait été là pour ramasser et recoller les morceaux – certains de ses os brisés le faisaient d'ailleurs encore souffrir. S'il était déjà douloureux de se voir jeter en prison pour un crime que l'on n'avait pas commis, que dire quand l'ordre en avait été donné par votre propre frère – ou plutôt demi-frère ? Un homme qui n'avait jamais mis les pieds dans ces cachots immondes et n'avait probablement pas idée de ce à quoi ils ressemblaient.

Ses geôliers s'en étaient donné à cœur joie, trop contents de se venger sur un puissant tombé en disgrâce. Sans doute fallait-il avoir été opprimé à un point inimaginable pour infliger pareil traitement à celui qu'on percevait comme l'oppresseur.

Il avait beau clamer son innocence, rien n'y faisait. Comment pouvaient-ils seulement croire qu'il avait tenté d'assassiner son propre père – un homme qu'il admirait, respectait, aimait ? Comment Kyber pouvait-il imaginer la chose possible ?

Il s'efforçait de s'expliquer et, pour prix de sa sincérité, les coups pleuvaient. Il n'y avait rien de pire que de ne pouvoir se disculper lorsque les circonstances vous faisaient apparaître coupable. Jenny n'était pas la seule à avoir souffert d'être trahie.

Une goutte de sueur roula le long de sa joue qu'il essuya d'un mouvement de l'épaule.

Autour de la table, ses hôtes se concertaient à voix basse. Décidément, ils formaient une bien curieuse assemblée. Leurs mouvements étaient lents et cependant gracieux, leurs vêtements plutôt râpés empestaient la sueur, l'alcool et les médicaments, et aucun des parfums dont ils s'étaient à l'évidence copieusement aspergés ne parvenait à masquer ces relents écœurants.

Ils ne semblaient pas conscients de leur état, comme si un voile translucide leur masquait la réalité.

Quinn s'empara de la seringue, la plongea dans un flacon de verre et la remplit d'un liquide brun-rouge. Il la pressa un peu pour en faire sortir une gouttelette qu'un de ses compagnons recueillit sur sa main et porta à sa bouche.

Deck refoula une bouffée de panique lorsque Quinn tendit la seringue à lord James. Surtout ne pas s'affoler, rester maître de soi, de ses peurs, de sa vie, de ses émotions, de son monde…

Non qu'il préférât mourir plutôt que d'affronter à nouveau la torture; il voulait surtout ne pas faire échouer la révolution. Et Jenny… elle rirait si elle savait. Oh, Jenny, fallait-il que tout s'achève avant d'avoir commencé ?

— S'il vous plaît, lord Valoren, fit lord James, veuillez prêter attention à ce que nous faisons.

Prêter attention. Devait-il penser aux souffrances passées ou à la souffrance présente ? Celle-ci était-elle plus insurmontable que celles-là ?

Deck s'efforçait de garder les yeux ouverts, de chasser les images qui lui traversaient l'esprit. Mais lorsque les hommes s'assemblèrent autour de lui, le plaquèrent sur sa chaise en brandissant la seringue, il ne put se laisser faire sans réagir. En rugissant, il se débattit comme un beau diable.

Cependant, ses adversaires étaient trop nombreux. Ils le tenaient ferme. Ils lui couvrirent le visage de leurs mains. Il sentit l'aiguille s'enfoncer dans son bras, le fourmillement qui lui envahissait la paume tandis que le liquide se répandait dans ses veines.

Bientôt, ils n'eurent plus besoin de le tenir, car la migraine, combinée à la nausée, lui interdisait tout mouvement.

Pourtant il continuait de s'inquiéter pour ses deux compagnons. Jenny… Était-elle seulement encore vivante ? Et Raidon ? Il l'avait vu tomber sous les coups. Sur le moment, il s'était dit que, s'il mourait, Jenny serait condamnée à rester à Newgate… À moins qu'elle ne trouve le moyen de s'enfuir. Il ne savait toujours pas comment elle y était parvenue la première fois.

Haletant, la tête sur la poitrine, il ferma les yeux, tant la douleur qui lui martelait les tempes était violente. Quelqu'un lui souleva le menton pour l'obliger à regarder ce qui se passait autour de lui.

Ses «hôtes» emplirent de vin des verres ébréchés, y ajoutèrent quelques gouttes du même liquide que celui qu'on venait de lui injecter. Deck tenta de se ressaisir, les yeux rivés sur cette bande d'aristocrates malfaisants rassemblés en cercle, le dos tourné. Sauf que…

Ils pivotèrent pour lui faire face.

— Bienvenue dans notre fratrie ! lança Quinn avec un large sourire.

Ses compagnons levèrent leurs verres et reprirent le toast.

Sauf qu'ils n'étaient plus… Le monde réel parut se décomposer, et ces verres immondes, pleins d'une substance fangeuse où flottaient des gouttelettes grasses, devinrent de magnifiques coupes de cristal emplies d'un vin à la robe rubis.

Troubles de la vision. Suivis d'un voile noir. Puis un éclair lumineux, et il perçut avec une netteté surnaturelle ce qui l'entourait… Couleurs saturées, textures admirables… jamais il n'avait vu palais plus luxueusement décoré.

Les vêtements de lord Quinn, qu'il avait trouvés usés, se révélaient de la plus belle facture, ses bottes noires du cuir le plus souple. Les tapisseries fanées et les meubles branlants s'avéraient de somptueux brocarts, des tissus finement brodés, des bois rares.

Cette sensation de joie, de plaisir et de soulagement fut soudain interrompue par une bouffée de terreur en même temps qu'une explosion de douleur. Les battements de son cœur s'accélérèrent au point qu'il crut s'évanouir. Il déglutit, la bouche horriblement sèche, luttant contre un vertige galopant. Il avait l'impression de devenir fou.

Quinn lui tendit un verre.

— Buvez. Cela vous fera du bien.

Jamais il ne se laisserait entraîner volontairement dans cette déchéance. Il voulut écarter le verre, mais manqua sa cible.

— C'est pur, assura Quinn. Enfin... aussi pur que l'ersatz d'eau que nous utilisons ici. Il vaut mieux le diluer. Ça paraît un peu fort la première fois...

Deck se leva en chancelant.

— Je dois m'en aller, articula-t-il d'une voix pâteuse.

— Allons, vous n'êtes pas si pressé, mon vieux ! Personne ne vous retient prisonnier, mais je vous conseille de rester encore un peu.

Deck le repoussa.

— Jenny !

Il avait crié son nom sans trop savoir pourquoi.

— Ah ! La fille ? fit son voisin promptement.

— C'est ma... c'est ma... ma...

Il secoua la tête pour chasser cet embrouillamini d'idées confuses. Il avança d'un pas, aussitôt terrassé par la nausée, ébloui par les couleurs étincelantes qui avaient remplacé les tons ternes du début. Il cligna des yeux, furieux, et s'effondra sur place.

— N'ayez crainte. Avec les opiacés, tout apparaît sous un meilleur jour. Y compris les femmes.

— Je ne comprends pas un traître mot de ce que vous racontez.

Pas plus que ce qu'il disait lui-même. Il tâcha de se redresser, de se rapprocher du mur qui semblait tendu de soie écarlate alors qu'il l'avait vu jaunâtre et maculé de taches d'humidité à son arrivée.

— Tout ça n'est pas vrai, dit-il lentement. Je suis toujours dans la même pièce, mais ce que je vois n'est pas réel.

— C'est vous qui le dites. Si vous la voyez ainsi, c'est qu'elle est ainsi.

Secouant la tête, Deck se faisait l'effet d'un gamin sur le point de piquer une colère.

— Je m'en vais. Je pars.

— Si vous insistez, soupira Quinn, nous ne vous retiendrons pas. À bientôt, donc. J'ai hâte de faire ce voyage en votre compagnie.

Deck ne discuta pas. Chercher la sortie requérait toute son attention.

Quinn le saisit par l'épaule et le fit pivoter :

— Par là, mon vieux. C'est tout droit.

Deck le salua en s'efforçant de ne pas trébucher, puis franchit le seuil d'une démarche hésitante. Au moins tenait-il encore sur ses jambes. L'air digne, il sortit du bâtiment, passa les grilles et s'engagea dans la première ruelle transversale qu'il trouva. Là, il se laissa tomber sur ce qu'il savait être une poubelle, même si, pour le moment, elle ressemblait davantage à une chaise ornée d'un coussin de velours vert. Avant de redevenir poubelle…

Il se releva, contempla un instant ce siège inapproprié, puis s'éloigna en titubant, comme s'il pouvait fuir ces couleurs vibrantes qui lui donnaient le tournis.

Il tâtonna dans sa poche, trouva son communicateur et parvint à l'allumer Dieu sait comment. Puis, priant pour que personne ne songe à intercepter le signal, il s'assit, l'œil vague, en se demandant combien de temps il faudrait à ce poison pour quitter son organisme. S'il le quittait jamais.

11

Une poussée d'adrénaline accompagna sa chute, mais le grappin tint bon. Jenny serra les jambes, tendit la pointe des pieds et effectua une magnifique courbe dans l'air qui la mena directement à la fenêtre... tout cela pour se rendre compte à la dernière seconde qu'il ne s'agissait pas d'un simple hologramme, mais bel et bien d'un vitrail.

Vitrail qui explosa en mille morceaux sous l'impact de plusieurs tonnes qu'elle lui appliqua avant de poursuivre sa course à travers la pièce mal éclairée et d'aller heurter le mur opposé. Heureusement, elle avait eu la présence d'esprit de détacher le clip qui maintenait son harnais à la corde, si bien qu'elle glissa le long du mur et atterrit sur le sol, quelque peu étourdie. Furieuse de s'être laissé surprendre, elle se palpa les côtes, histoire de vérifier que tout était bien en place, puis balaya la pièce du regard, cherchant d'éventuels témoins de ce déplorable incident.

À l'étage du dessous retentirent des cris et des galopades. Elle se leva d'un bond, sortit son arme et courut se plaquer près de la porte. Elle inspecta plus attentivement la salle et repéra une caméra qui n'avait rien dû perdre de ses mouvements.

— Ils veulent qu'on vienne te chercher, murmura-t-elle. Mais pourquoi ?

Son communicateur vibra. Le signal de détresse de Deck. Il était en danger. Au moins avait-il pu l'avertir, ce qui n'était déjà pas si mal. Cela dit, elle était plus qu'inquiète à l'idée d'avoir sous-estimé la capacité de nuisance des membres du Parlement à son égard. Bien sûr, il n'était pas impossible que ces derniers aient activé volontairement son communicateur pour les piéger, Raidon et elle.

Elle tourna doucement la poignée de la porte et ouvrit. Elle allait sortir, son arme brandie devant elle, lorsque la lame d'une épée jaillit et se posa à la base de sa nuque.

— D'accord ! D'accord ! Je me rends.

Sa main libre grande ouverte en signe de reddition, elle se pencha lentement en avant pour abandonner son arme sur le sol. La lame suivit son mouvement, puis son agresseur vint se placer devant elle.

— Jenny Red, articula-t-il.

Levant la tête, elle aperçut d'abord deux tibias enfermés dans des bas. Un mec avec des bas !

— Je rêve ! s'exclama-t-elle.

— Lord Quinn, à votre service.

Il lui tendit la main pour l'aider à se relever.

— Attention aux débris de verre.

Lord Quinn. Le nom ne lui disait rien. Mais le visage, en revanche, l'épouvanta. Elle l'avait déjà vu. Avant de s'enfuir, les mains pleines de sang. Toutefois, elle ne parvenait pas à déterminer son rôle exact au cours de cette nuit d'horreur. De toute façon, ce n'était pas bon signe. Elle devait lui échapper, retrouver Deck et ficher le camp.

— Comme on se retrouve ! s'exclama-t-il.

Avec un soupir, Jenny accepta sa main et se redressa. Il effleura des lèvres son gant de cuir noir, et des éclats de verre multicolores scintillèrent sur sa bouche.

Elle pouvait compter sur les doigts d'une main les aristocrates auxquels elle avait eu personnellement affaire dans sa vie, mais ils semblaient toujours surgir de nulle part pour la tourmenter, au plus mauvais moment de préférence.

D'un geste agacé, elle débarrassa ses vêtements des morceaux de vitraux qui y étaient encore accrochés, les écrasant sous ses bottes.

— La barbe! s'écria-t-elle en levant les bras pour montrer qu'elle se rendait. Je n'ai pas l'air idiote, moi!

— Mais quelle entrée spectaculaire! Il faudra qu'on se repasse la vidéosurveillance.

Puisqu'il n'était plus question d'anonymat, Jenny se débarrassa de son casque et étudia avec attention cet homme qui savait qu'elle avait tué un membre du Parlement et n'avait pas payé pour un tel crime.

Lord Quinn avait dû être beau à couper le souffle, autrefois. Il avait de grands yeux bleu de cobalt et le genre de chevelure bouclée qui donnait envie d'y enfouir les doigts, enfin... si son propriétaire n'avait été limite psychopathe. En dépit de sa mise raffinée, il avait quelque chose de mal dégrossi. Le vice et les revers de fortune qui lui avaient valu de finir ses jours à Newgate avaient dans la foulée à peu près complètement anéanti sa beauté.

Curieusement, elle éprouva un élan de compassion à son égard. Elle n'aurait su expliquer pourquoi. Peut-être était-ce cette expression traquée qui habitait son regard. Une expression qu'elle ne connaissait que trop bien... Mais elle devait tâcher de savoir ce qui était arrivé à Deck avant d'émettre un jugement.

La tête inclinée de côté, Quinn parcourut d'un regard appréciateur les courbes féminines moulées dans la tenue de cuir noir.

Il laissa échapper un murmure salace qui chassa instantanément toute compassion chez Jenny. S'il croyait qu'elle allait se laisser corrompre par ces salauds du Parlement! Elle en avait déjà tué un, et s'il le fallait, elle n'hésiterait pas à recommencer.

— Ravie de vous revoir, Quinn! mentit-elle. Alors, où est-il?

— *Tss, tss*, fit-il, désapprobateur. Toujours aussi directe !

— Qu'est-ce que vous me voulez ?

— D'abord que vous ne révéliez pas à vos amis que nous nous connaissons.

— Deck n'est pas un imbécile. Je ne sais pas ce que vous lui avez raconté, mais je peux vous garantir qu'il verra immédiatement si vous lui mentez.

Elle fit mine de s'en aller, mais il s'interposa.

— Où allez-vous ? Nous devons d'abord discuter affaires. Si vous me racontiez à quoi vous jouez, tous autant que vous êtes ?

— À quoi nous jouons ?

— Un aristocrate qui débarque à Newgate, volontairement semble-t-il. Une ancienne évadée qui revient tout aussi volontairement malgré un fort contentieux avec le Parlement…

— Je ne me suis pas évadée de Newgate. Je me cachais. Parfois, malheureusement, se cacher se révèle pire que mourir.

Mensonge éhonté…

— Vous êtes revenue payer votre dette ?

— Je ne dois rien à personne. Je suis venue récupérer Deck.

Il la dévisagea un instant avant de poursuivre :

— Votre attitude protectrice à l'égard de lord Valoren ne laisse pas de me surprendre. Tout attachement a un prix. De même que toute loyauté demande des compensations. Du moins ici.

Il attendit tranquillement sa réponse, tandis que le communicateur de Jenny vibrait toujours à sa taille.

— Je vois ce que vous voulez dire, assura-t-elle en cherchant du regard une issue par laquelle s'enfuir. Ce type, c'est mon gagne-pain, ajouta-t-elle, alors j'aimerais bien savoir ce que vous en avez fait. Si vous n'avez pas l'intention de m'arrêter ou de me supprimer, j'aimerais autant partir.

— Vous ne veniez pas discuter affaires ?

— Je n'ai pas envie de discuter affaires avec vous, ni maintenant ni plus tard – mais merci tout de même.

Il poussa un soupir navré.

— Vous n'en avez peut-être pas envie, mais il va bien le falloir. Vous devez payer, Jenny Red. Le Parlement ne vous fera pas crédit plus longtemps. Pas pour un passif aussi lourd. Nous n'avons déjà été que trop généreux.

— Oh, je vous en prie ! Vous ne saviez même pas où j'étais.

Quinn eut un sourire qui la glaça jusqu'aux os. Savaient-ils donc où la trouver ? Dans ce cas, pourquoi n'avaient-ils rien fait ?

— Si vous permettez, je vais vous donner un indice. Cet « investissement » dans l'arrière-pays, où vous êtes censés vous rendre, je me demande en quoi il consiste exactement.

— D'accord, vous vous le demandez. Et alors ?

Quinn se contenta de la regarder.

— Je ne suis pas certaine de comprendre votre question, enchaîna-t-elle innocemment.

— Sacrebleu, jeune fille ! Ne tournons pas autour du pot. Je vous invite à partager vos informations avec moi.

— C'est une menace ?

— Si c'était le cas, cela ne devrait pas vous surprendre, il me semble. En réalité, je ne fais que suggérer de vous montrer plus souple. Ce qui devrait nous permettre de parvenir à un arrangement.

Elle n'y tenait pas. S'il était généralement admis que, lorsqu'on devait vivre à Newgate, mieux valait que ce soit sous la protection du Parlement, Jenny ne l'avait jamais entendu de cette oreille. D'où ses ennuis passés. Si elle devait accepter leur soutien – dans la mesure où c'était vraiment ce qu'ils lui offraient et non cette espèce de servitude à laquelle ils avaient voulu la soumettre la première fois –, ce serait en dernier ressort. Et elle refusait de croire qu'elle en arriverait là. Sinon, elle n'aurait jamais accepté de suivre Deck.

— Ça ne m'intéresse pas, confirma-t-elle. Mais, encore une fois, merci.

Pressée de vider les lieux, elle amorça un mouvement en direction de la porte.

Quinn haussa nonchalamment les épaules.

— Un long voyage nous attend. Cela vous laissera le temps de reconsidérer la question.

Elle se retourna lentement vers lui.

— « Nous » ?

— Oui, le voyage dans l'arrière-pays. Je me joins à vous. Comme je vous l'ai dit, nous sommes très intéressés par l'investissement de Sa Seigneurie.

Jenny se sentit défaillir.

— Franchement, je ne vous le conseille pas. Ça risque de vous sembler beaucoup trop... primitif.

Il s'autorisa un sourire narquois.

— Il faut savoir consentir des sacrifices pour la cause.

La cause ? Parlait-il de celle du Parlement... ou de celle de la révolution ? Que ce soit l'une ou l'autre, Jenny commençait à craindre que Deck n'en eût trop dit. Lui avaient-ils extorqué des aveux par la force ? Ce n'était pas impossible...

— Bien, euh... où est-ce qu'il est ?

Quinn ne bougea pas.

— Vous venez juste de le manquer.

— Ah bon ? Il était là ? Et soudain il est parti ?

Dans ce cas, pourquoi son signal de détresse continuait-il à fonctionner ? Une vague de pure panique la submergea soudain.

— Qu'est-ce que vous lui avez fait ?

Il sourit de nouveau, franchement amusé.

— Pas fait, donné.

— Génial. Vous savez pourtant que c'est de la merde !

Il parut accuser le coup; quelque chose dans sa façade de dandy se fissura. Ce malaise flagrant ne fit qu'accroître l'angoisse de Jenny.

— Bon, marmonna-t-elle en ouvrant une porte, il faut que j'y aille. Je n'ai pas encore fait mes bagages…

Quinn la regarda ouvrir une porte après l'autre, sans trouver d'issue.

Elle sentait l'affolement la gagner quand il vint à son secours.

— Troisième porte à droite, indiqua-t-il aimablement. Allez jusqu'au bout du couloir et prenez le grand escalier qui donne sur l'entrée principale.

— Parfait. Encore toutes mes excuses pour le vitrail. Je croyais que c'était un hologramme.

Il grimaça un sourire.

— Nous l'ajouterons à votre ardoise.

Sur quoi, il s'inclina pour la saluer.

12

En se retrouvant à l'air libre, Jenny éprouva un immense soulagement. Elle jeta un regard circulaire. Pas de Raidon à l'horizon. Elle eut un coup au cœur, inspecta de nouveau follement les alentours et finit par repérer un pied dépassant d'une ruelle toute proche.

Elle traversa la rue au pas de course.

Deck gisait sur le sol, adossé au mur humide. Il respirait encore. Bruyamment, laborieusement, mais il respirait. Et ses paupières papillotaient, comme s'il était perdu dans un délire d'images.

Elle s'accroupit près de lui et posa son casque sur le sol.

— Deck ? C'est pas vrai...

Elle inspira à fond, refusant de laisser la panique prendre le dessus.

Puis elle vérifia son pouls. Trop rapide. Ses pupilles étaient dilatées. Et cette manche remontée... Elle passa doucement l'index sur le léger bleu au creux du coude, sentit une piqûre, nettoya la minuscule tache de sang d'un peu de salive.

Soudain, la main de Deck jaillit et se referma autour de son poignet, l'enserrant d'une poigne de fer. Il la regardait fixement, à présent, mais il était encore complètement défoncé. Jamais elle ne l'avait vu dans un tel état. Il lui était parfois arrivé de souhaiter effacer cette expression arrogante qu'il affichait souvent, mais pas de cette manière... Non, pas de cette manière.

— C'est moi, dit-elle doucement. Jenny. Ça va aller, maintenant. Je vais te ramener à la maison.

Il parut se détendre, mais ne la lâcha pas pour autant.

Elle lui tâta le front. Brûlant, et humide de transpiration.

— Dis mon nom, Deck. Que je sache que tu vas bien.

— Jenny Red, balbutia-t-il en la scrutant. Tu es plus belle que jamais.

— Décidément, ça ne va pas du tout! Attends, que je t'aide à te redresser. Raidon ne devrait pas tarder.

Elle se pencha, tenta de passer le bras de Deck par-dessus son épaule, mais il ne fit aucun effort pour l'aider. En fait, il semblait prodigieusement intéressé par elle. Il laissa son bras glisser de son épaule et lui entoura la taille. Jenny lui jeta un regard désemparé, consciente de réagir malgré elle à son contact.

Il lui caressa la joue de sa main libre, tandis que l'autre descendait dangereusement bas sur ses reins. Elle poussa un juron et l'entoura de ses bras pour tenter de le redresser. Elle parvint à le mettre à genoux, puis le plaqua contre le mur. Comme elle faisait mine de s'écarter, il l'enveloppa de ses bras, donnant à leur étreinte une allure très intime…

Le taux d'humidité dans l'atmosphère semblait avoir atteint un pic. Deck était clairement en surchauffe, et tous deux transpiraient abondamment.

Elle libéra l'une de ses mains et lui saisit le menton pour l'obliger à la regarder.

— Hé! Ce n'est que moi, vu? On est dans la rue, et on a autre chose à faire que… ça!

Ses lèvres étaient si près… elle en avait la gorge nouée.

D'un autre côté, il avait les yeux tellement vitreux qu'elle en ressentit un profond désarroi.

Il paraissait perdu. Il l'était, bel et bien. Ces salauds l'avaient royalement bousillé! Soudain, ses bras retombèrent, et il se laissa aller contre Jenny de tout son poids. Quand il lui mordit le cou, une véritable décharge électrique la secoua. Elle n'était pas préparée à cela, d'autant qu'il l'embrassait, à présent, la mordillait, laissait ses lèvres remonter vers son oreille.

— Tu as les yeux si bleus... Plus bleus que dans mon souvenir.

— Deck... bredouilla-t-elle, tu ne sais pas ce que tu fais. Après tu regretteras.

Forcément. Et elle aussi.

Mais il semblait s'en moquer. Il débordait d'ardeur, si bien qu'il parvint à capturer sa bouche avec une vigueur qui la prit de court. Il enfouit les doigts dans ses cheveux, lui caressa la nuque ; jamais elle ne s'était sentie aussi vivante ! Elle avait l'impression qu'il était tout entier dans ce baiser, s'y abandonnait totalement. Elle avait imaginé cet instant des centaines de fois. Et voilà qu'il se produisait !

Rien ne paraissait devoir arrêter Deck, pas même la pensée que, de son côté, elle pourrait avoir une quelconque hésitation.

Un bref moment, elle se laissa aller, s'offrit à lui comme elle l'avait rêvé autrefois. Pourquoi refuser d'admettre qu'elle aimait ses baisers, la sensation de son corps contre le sien, ses mains qui l'exploraient sans vergogne, ses caresses incroyables ?

Incroyables. Et cependant, une telle avidité devait bien reposer sur une réalité. Il devait tout de même ressentir un petit quelque chose pour elle...

Il lui mordilla la lèvre inférieure avec délectation, avant de la lui caresser de la langue, son corps tellement pressé contre le sien qu'elle ne pouvait rien ignorer de son désir.

Elle était si bouleversée qu'elle n'arrivait pas à soutenir son regard. Sans conviction, elle tenta de se dégager, de mettre un peu d'espace entre eux, mais ne parvint qu'à se coincer contre le mur.

Que se passait-il ? Qu'y avait-il de réel dans cette démonstration ? Comment pouvait-il faire preuve d'une telle passion après l'avoir si ignominieusement abandonnée ? Si elle voulait le voir répondre à son amour, c'était l'occasion ou jamais ; au moins pourrait-elle conserver ces instants dans un coin de sa mémoire pour en meubler ses nuits solitaires, sachant que cela risquait de ne jamais se reproduire. Alors elle cessa de résister et s'abandonna. Où qu'il l'entraîne, elle irait.

— Jenny ! lui souffla-t-il à l'oreille en la caressant fiévreusement.

Ébouriffée de plaisir, elle ferma les paupières.

— Je veux te voir, murmura-t-il. Regarde-moi. *Regarde-moi !*

Les nerfs tendus à l'extrême, elle rouvrit les yeux. Comment se pouvait-il que le seul homme qu'elle n'ait jamais pu avoir réellement lui soit destiné ? Il l'était pourtant. Elle l'avait toujours su. Elle l'attendait depuis toujours.

— Hé ! On fait ça au lit ! lança un passant d'une voix sarcastique.

Deck perdit l'équilibre et entraîna Jenny dans sa chute. Elle eut l'impression d'être arrachée brutalement à un beau rêve.

Impossible d'y replonger, d'autant que Raidon venait d'apparaître à l'entrée de la ruelle. Il embrassa la scène du regard, fronça les sourcils, puis se rua vers eux.

— Je n'arrive pas à le relever ! lâcha-t-elle.

— Essayez de le tenir une seconde.

Il passa en revue les bleus et les taches qui maculaient le bras de Deck pendant qu'elle le maintenait par les épaules.

Difficile de dire qui des deux tremblait le plus. Il croisa son regard, mais le charme était rompu. Déjà il reprenait ses esprits, cela se voyait à ses pupilles qui rétrécissaient rapidement. Jenny sentit le moment s'effriter lentement.

Brusquement, il plissa les yeux et son visage se durcit.

— Éloigne-toi de moi, ordonna-t-il à Jenny en repoussant ses mains. C'est dangereux.

Surprise, elle s'affala contre le mur derrière elle. « Tu n'as jamais vraiment voulu de moi », songea-t-elle amèrement.

— Seigneur, il va bien ? interrogea Raidon en vérifiant le pouls de Deck.

— Il devrait aller mieux sous peu, répondit-elle d'une voix rauque.

— Il y a intérêt.

Comme Jenny tressaillait, il se radoucit :

— Désolé. Vous n'y êtes pour rien. C'est lui qui a voulu courir le risque. Même moi, je n'ai pas pu l'arrêter.

La drogue n'avait à l'évidence pas encore quitté l'organisme de Deck, car il ouvrit tout à coup grand les yeux et commença à se débattre comme pour échapper à Raidon.

— Il va tout casser ! se plaignit ce dernier.

— J'ai l'impression qu'ils l'ont bourré de FP, commenta Jenny.

Il l'interrogea du regard.

— Il va s'en sortir, dit-elle sobrement.

Et n'aurait plus aucun souvenir de ce qui venait de se passer. Les regards, les paroles, les gestes, plus rien ne subsisterait dans sa mémoire... Elle fit un effort pour se concentrer sur Raidon.

— Et vous savez le plus bizarre ? ajouta-t-elle. Ils nous l'ont rendu à peu près gratis. Ils l'avaient déjà relâché quand je suis entrée là-bas.

— Vous êtes étonnée qu'ils ne nous aient pas tous massacrés, c'est ça ? observa-t-il après un instant de réflexion. Pour ma part, je trouve l'expérience déjà assez bizarre comme ça.

— Ce que je veux dire, c'est que... Qu'est-ce que je voulais dire, au fait ? murmura-t-elle tandis que les propos de Quinn lui revenaient à l'esprit.

114

Elle s'apprêtait à rapporter leur conversation à Raidon, puis décida subitement de la garder pour elle.

Le garde du corps s'empressait autour de Deck, si bien qu'il ne nota pas son hésitation. Il vérifiait qu'il n'avait rien de cassé – ce qui ne manqua pas de la faire sourire intérieurement : non, il n'avait rien de cassé, elle pouvait en témoigner. Deck finit d'ailleurs par le repousser d'un air agacé. Chassez le naturel…

— J'ignore ce que Deck leur a dit, reprit-elle, mais je me demande s'ils n'ont pas des soupçons.

Elle écarta une mèche humide de son front.

— Il commence à redescendre, annonça-t-elle. Ça va faire mal.

Raidon lui glissa un regard de biais.

— Ça n'a pas l'air d'aller très fort, vous non plus, remarqua-t-il. On dirait que vous venez de croiser un fantôme. Et vous avez une coupure sur la joue. À cause du vitrail, je suppose ?

Elle s'essuya le visage.

— Je vais bien, assura-t-elle. Il serait temps d'y aller, non ? Vous avez trouvé une voiture ?

— Une sorte de taxi. J'ai dit au chauffeur que je lui ferais signe. Je ne savais pas où on en était.

Un instant, elle se demanda comment ils feraient pour transporter un homme dans son état sans se faire remarquer, puis elle se souvint que, dans cette ville, les fous et les ivrognes étaient légion.

Pour le moment, Deck se tenait à peu près tranquille. Il en était sans doute à un stade transitoire où il avait du mal à faire la part des choses, et flottait entre horreur, plaisir, délire et envie de sombrer dans le sommeil.

Raidon fit signe au chauffeur. Comme ils installaient Deck à l'arrière, Jenny eut la désagréable impression d'être observée.

Elle aperçut Quinn de l'autre côté de la rue. Il était appuyé aux lourdes grilles du club du Parlement et les contemplait les yeux mi-clos en exhalant des ronds de fumée. Elle s'engouffra dans le taxi et, tandis que celui-ci démarrait, se retourna pour voir l'homme jeter sa cigarette au sol et l'écraser ostensiblement du talon.

13

Murmures étouffés.

Éclat de rire.

Deck roula sur le flanc et tressaillit en sentant une douleur sourde lui marteler le crâne. Il n'était pas encore complètement remis des événements de la veille. Sortant le bras de sous le drap, il chercha à tâtons sa gourde et la porta à sa bouche avec une avidité digne de l'eau purifiée qu'il avait l'habitude de boire chez lui.

De la chambre voisine, il entendit Raidon déclarer, en s'étranglant de rire :

— Quand je pense à la façon que vous avez eue de vous balancer au bout de cette corde avant d'aller vous exploser dans ce vitrail ! J'en suis encore impressionné. Et moi qui attendais là-haut, certain que vous alliez juste traverser un hologramme... alors que c'était une authentique fenêtre !

— Vous trouvez ça drôle ? L'atterrissage était sans doute un peu poussif, mais le reste n'était pas mal, non ? Côté technique...

— Côté technique ?

Le garde du corps s'esclaffa.

— Vous, alors ! finit-il par articuler.

— Quoi ? répliqua-t-elle en riant à son tour. Je fais avec les moyens du bord. Je n'ai pas été formée dans une école de luxe, moi ! Je vous jure que j'étais certaine qu'il s'agissait juste d'un hologramme. Qui se paie de vrais paysages de nos jours ? Du reste, vous étiez du même avis que moi ! Mais bon, je reconnais que j'ai été sacrément surprise.

— Je n'en reviens pas que personne ne vous ait attendue de l'autre côté. Avec le boucan que vous avez fait !

Jenny cessa instantanément de rire.

— Je sais, fit-elle en se raclant la gorge. Question de chance. Le prince était déjà parti. Alors, je n'ai plus eu qu'à suivre son signal…

Deck ferma les yeux et s'efforça de ne plus écouter. Il éprouvait un tiraillement bizarre au fond de lui. Les FP, comme les appelait Jenny, ces drogues que lui avaient injectées ses « frères » au Parlement, le tourmentaient encore.

« L'épisode » avec Jenny l'avait déstabilisé. Elle supposait sans doute qu'il avait tout oublié, mais il n'en était rien.

Au contraire. Il se rappelait tout dans les moindres détails ; au point qu'il s'était réveillé plusieurs fois au cours de la nuit dans un tel état d'excitation qu'il avait eu du mal à se rendormir. Le souvenir de leur baiser ne cessait de le hanter. Les FP avaient révélé au grand jour les désirs secrets qu'elle suscitait en lui, les avaient magnifiés, puis laminés dès qu'il avait commencé à redescendre. Alors qu'il la regardait, dans cette ruelle, ce qu'il éprouvait pour elle depuis toujours, chaque pensée, chaque instant passé en sa compagnie s'étaient condensés en une seule et puissante sensation.

Le rire de Jenny retentit de nouveau dans la pièce voisine. Non, il n'avait rien oublié. Pas même cette impression d'être capable d'obtenir ce qu'il voulait, très précisément, et sur-le-champ. Il avait désiré Jenny. Aussitôt, il s'était rappelé ces moments – quelques secondes, parfois – durant lesquels il s'était demandé ce qu'il ressentirait s'il l'attirait dans ses bras, s'il l'embrassait… Il aurait bien tenté de prendre tout ce qu'elle était prête à lui offrir !

Et maintenant, il en voulait davantage. Question de tentation.

Il s'assit dans son lit, ravala une nausée, mais ne put s'empêcher de grimacer de douleur. Jenny avait raison d'affirmer que les membres du Parlement étaient plus dangereux qu'ils ne le paraissaient. Mais s'il existait un moyen de les contrôler, il passait bel et bien par la tentation, unique but de leur existence.

Deck se leva prudemment et trouva ses vêtements de la veille bien pliés sur une chaise ; il se souvint vaguement que ses ravisseurs l'avaient fouillé, et vérifia aussitôt le contenu de ses poches, secrètes ou non, pour découvrir… que tout était demeuré en place.

Soulagé, il s'approcha du miroir suspendu au mur, histoire de vérifier l'étendue des dégâts. Il ne vit qu'un homme qui avait trouvé le moyen de tout embrouiller. *La tentation*. Pour le tenter, lui, ils lui avaient administré une drogue. Pour des gens issus de classes sociales plus modestes, ce serait autre chose. La promesse d'une vie meilleure, peut-être ? Exactement ce que lui-même avait fait miroiter à Jenny pour la soumettre à sa volonté.

Il se détourna de la glace, de nouveau conscient des bavardages de Jenny et de Raidon dans la pièce voisine. Il avait beau être fort, il n'ignorait pas les démons qui le hantaient parfois. Que faisait-il là au juste ? Jenny avait-elle raison ? Ne s'agissait-il pour lui que d'assouvir un désir de revanche ? Ou simplement de se raccrocher à quelque chose, lui le prince noir, le bâtard, le roi sans royaume ? Il n'avait personne à qui commander, pas de rôle à jouer. N'était-ce pas là, précisément, l'histoire de ces messieurs du Parlement ? N'étaient-ce pas leurs abus autant que la perte de leur statut qui avaient provoqué leur chute ? Ne devait-il pas y voir sa propre destinée ?

Pour la première fois depuis qu'il avait commencé à élaborer des plans pour la station de communications, il s'interrogeait sur ses motivations profondes. Ça lui avait pourtant paru si simple, au début, clair comme de l'eau de roche. Il croyait avoir trouvé sa vocation. Au fin fond des geôles infectes de Kyber, il avait gravé son nom dans toute la splendeur de sa gloire. D'ekkar Han Valoren. Il en avait creusé chaque lettre dans la pierre, refusant l'idée que son nouveau statut de bâtard royal, de demi-frère, fasse de lui un prince au rabais.

Moins d'une semaine plus tard, il avait tenté de l'effacer en creusant le mur avec une pierre jusqu'à en avoir les doigts en sang. Il l'avait remplacé par son surnom, celui que lui avait donné l'unique roturière avec qui il ait jamais entretenu des relations. *Deck*. Le surnom inventé par Jenny.

En prison, il avait fait la connaissance d'un groupe d'hommes, des rebelles qui parlaient de révolution avec ferveur. Ils avaient un but. Un but important. Ils voulaient aider le plus grand nombre. Il les avait écoutés avec attention, buvant chacune de leurs paroles. Et compris qu'il avait lui aussi un rôle à jouer. Pourquoi s'enliser dans le bourbier des petits complots visant à renverser la dynastie des Han quand on pouvait travailler à remplacer les monarchies du monde entier par un système meilleur, à plus grande échelle ? Autant soutenir un système qui mettrait tout le monde sur un pied d'égalité.

Il s'était juré que s'il sortait un jour de prison, il renoncerait à ses projets de vengeance pour se consacrer à ce combat. Tout le monde, partout, dans les cafés, les bibliothèques, les magasins, les bars, n'importe où, aurait droit à la liberté. C'était ce que semblait prôner la Voix de l'Ombre, et c'était pour cela qu'il voulait l'aider.

Mais soudain, il avait des doutes. Que croyait-il, au juste ? Que voulait-il croire ? Que s'était-il convaincu de croire ?

Un éclat de rire interrompit le cours de ses pensées.

— Vous savez quoi, Raidon ? lança Jenny. Vous êtes un peu le frère que je n'ai jamais eu.

Bravo ! Ses deux compagnons s'étaient réconciliés sur son lit de douleurs. Pourquoi fallait-il que ça le contrarie ? Il préférait ne pas le savoir. Cela avait sans doute à voir avec la jalousie, sentiment mesquin. Il n'empêche. Que ces deux-là aient trouvé si vite le chemin de la complicité l'agaçait. Il aurait pourtant dû s'en réjouir. Cela ne pourrait que faciliter le voyage qui les attendait.

Il alla dans la salle de bains se rafraîchir le visage, puis sortit des sous-vêtements propres de son sac. Il tressaillit en entendant tomber dans la pièce à côté ce qui lui sembla être une boîte de munitions, suivi d'un sonore :

— Chut !

Il ouvrit la porte et découvrit Raidon sur le sol, apparemment en pleine lutte avec Jenny qui semblait l'avoir immobilisé d'une prise imparable, au milieu des draps froissés, des coussins en désordre et des cartouches répandues un peu partout.

Jenny lâcha le garde du corps qui se releva et s'éloigna aussitôt d'elle.

— Je vous prie de m'excuser, monsieur, dit-il en hâte. Nous étions juste…

— … en train de fraterniser, acheva Jenny qui se mordait les lèvres pour ne pas rire devant l'attitude contrite du garde du corps. On avait juste besoin de se détendre un peu.

Deck s'assit sur le lit en s'efforçant d'afficher un sourire plaisant – il doutait d'y parvenir. Il regarda Jenny, qui haussa un sourcil interrogateur, puis se dirigea vers son sac et entreprit de fouiller dedans, mutine, en débardeur, short minuscule et chaussettes de gamine.

Ils avaient vécu un moment d'une telle intensité dans cette ruelle ! Chaque image s'en déroulait dans son esprit tel un film, à cette différence près qu'il était à présent en noir et blanc après avoir été en couleurs, et des plus éclatantes. Si seulement il pouvait la revoir telle qu'il l'avait vue la veille à travers le prisme de ses sens exacerbés – avec ces yeux d'un bleu irréel, ces cheveux d'un roux quasi chimérique, ces courbes parfaites, cette peau blanche immaculée, sans les plaies et bosses qui s'y trouvaient d'ordinaire.

Mais si intense qu'aient été ces perceptions, ce sentiment de vide qu'il éprouvait à présent que les FP avaient cessé leur effet était à double tranchant.

— Je préférerais mourir plutôt que de vivre ainsi, articula-t-il entre ses dents.

— Quoi ?

Il s'aperçut qu'elle lui tendait deux aspirines et un verre d'eau. Il avala les comprimés et plongea son regard dans le sien.

— J'ai dit que je préférerais mourir plutôt que de vivre comme ces gens du Parlement. Je ne sais pas à quoi ils sont accros, mais ça n'en vaut pas la peine.

— Tu ne préférerais mourir que si tu te rendais compte que tu vivais ainsi, objecta-t-elle. Mais dès que ces types commencent à se droguer, c'est pour ne plus s'arrêter. Ensuite, ils ne songent qu'à en prendre davantage. Je ne sais même pas s'ils font encore la différence entre leurs rêves et la réalité. C'est d'ailleurs pour ça qu'ils ne veulent surtout pas quitter le Parlement. Comment veux-tu supporter la sinistre vie de Newgate quand tu as été un nabab ? Personne n'a envie de reconnaître qu'il est tombé si bas ! Si tu veux mon avis, l'utopie, ça s'entretient.

Deck secoua la tête avec dégoût.

— Ce n'est pas une vie !

— C'est un moyen de faire face. Quand on a été riche, on veut encore s'offrir une vie de riche. Et il en faut, du blé, pour se payer son opium ! C'est pour ça que le Parlement doit absolument conserver son monopole sur la distribution d'électricité à Newgate.

— Et leurs familles, elles ne pourraient pas les tirer de là ? risqua-t-il, reprenant son idée de la veille. Quelqu'un qui les aimerait ?

Il regretta aussitôt ces paroles.

— Parfois ça les arrange, répliqua-t-elle d'un ton plein de sous-entendus.

Un silence inconfortable tomba entre eux.

— Toutes les familles ne tiennent pas à récupérer un drogué criminel, reprit finalement Jenny. Même s'il s'agit de leur héritier ou d'un membre de l'aristocratie.

— Sans parler d'un fils cadet…

— En effet.

De manière inattendue, il posa un genou à terre devant elle.

— Jenny, est-ce que je dois te présenter mes excuses ?

Cela pouvait se rapporter à un tas de choses parmi celles qui s'étaient passées ces derniers jours, et il se garda volontairement de préciser à quoi il faisait allusion. Elle s'empourpra tandis que Raidon se détournait, feignant d'avoir une chose urgente à faire à l'autre bout de la pièce.

— Non, finit-elle par répondre, avant de se mettre à plier ses vêtements d'un air concentré.

Sachant que ce n'était pas dans ses habitudes, Deck insista :

— Tu es sûre ?

Elle lui jeta un regard intimidé.

— Tu as quelque chose à te faire pardonner ?

Il contemplait sa bouche, se rappelait le goût de ses lèvres…

— Pas particulièrement, souffla-t-il.

Il ne put réprimer un sourire.

— Dans ce cas, je crois qu'on est quittes, conclut-elle, l'air satisfait. Bon, quand est-ce qu'on décolle ?

— Je serai prêt demain matin, répondit Deck en se levant. Promis. Cela dit, je dois vous prévenir qu'un membre du Parlement est censé se joindre à nous.

Lord Quinn, c'est son nom, précisa-t-il, se préparant aux inévitables objections de la part de ses compagnons.

— Quoi ? s'écria Raidon, qui pivota sur ses talons. Je croyais qu'on nous attendait à la station, qu'il ne fallait pas y aller en nombre parce que ce serait risqué. Qu'on devait voyager léger.

Jenny se mordillait les lèvres d'un air sombre.

— Il n'est pas question de discuter, trancha Deck.

— On ne peut pas s'encombrer d'un inconnu ! insista Raidon. Ce serait une énorme erreur.

Jenny acquiesça de la tête.

— C'est un toxico Il ne nous apportera que des ennuis.

— C'est toi qui dis ça ! s'esclaffa Deck. Toi qui n'hésites pas à foncer tête baissée parce que tu sais où tu vas ?

— Tu mélanges tout, grommela-t-elle. Cela étant, il ne devrait pas poser trop de problèmes dans la mesure où il sera en permanence défoncé.

— Je continue à penser que c'est une mauvaise idée, s'entêta Raidon.

Assis, les bras croisés, il semblait pourtant déjà résigné.

— Je sais, concéda Deck, que ça n'a rien d'idéal mais, à vrai dire, le Parlement ne m'a pas laissé le choix. Ils ont avalé mon histoire selon laquelle je cherchais à investir dans les télécoms, mais ils prétendent vouloir s'assurer que je paierai bien les taxes appropriées. C'est un moindre mal, croyez-moi. L'important, c'est de pouvoir continuer notre route.

— Mais que se passera-t-il s'ils apprennent la vérité ? objecta Jenny. Tu ne crois pas qu'ils vont soutenir ta révolution ?

— On avisera le moment venu. De toute façon, personne ne peut dire comment ils réagiront. Qui sait s'ils n'accepteront pas de négocier ? S'ils sont assurés d'obtenir leur opiacé, ils se moqueront peut-être de savoir qui tient vraiment les rênes. À l'évidence, ils sont du genre à ne prendre aucun risque. À mon avis, et pour peu qu'ils y trouvent leur intérêt, ils seraient bien capables de jouer sur les deux tableaux.

— S'ils détiennent encore du pouvoir, c'est uniquement parce que le reste du monde n'est pas au courant de leurs combines, fit remarquer Raidon. Mais que se passera-t-il si un nouveau régime se met en place, un régime dont les buts sont diamétralement opposés aux leurs, qui n'a que faire de la royauté et sait tout d'eux ?

— Et ils ont sûrement entendu parler des Messagers de l'Ombre, renchérit Jenny. Personnellement, j'aimerais autant ne rien avoir à faire avec le Parlement.

Raidon approuva d'un hochement de tête.

— Si on amène un membre du Parlement dans un repaire des Messagers de l'Ombre, on est assurés de compromettre l'opération, prévint-il.

— Pas si on se montre malins, contra Deck. Avant, il faudra prendre garde de ne jamais faire allusion à la révolution ou aux Messagers de l'Ombre devant Quinn. À ses yeux, je suis et dois demeurer un homme d'affaires. Il suffira de lui montrer ce qu'il a envie de voir, de lui dire ce qu'il souhaite entendre. Et de verser une somme raisonnable pour qu'il n'y voie que du feu.

— Déjà qu'en t'impliquant dans cette révolution tu te mettais en position d'être accusé de haute trahison et exécuté par ta propre famille, grommela Jenny. Et voilà que maintenant, tu magouilles avec le Parlement. Ça fait beaucoup...

— Parfois, il faut savoir faire de petits sacrifices pour le bien du plus grand nombre.

14

Aux yeux de Jenny, lord Quinn n'avait rien d'un petit sacrifice. Elle commençait même à le trouver des plus encombrants. Il s'était présenté à l'hôtel dans un landau attelé de deux chevaux, plein à ras bord de malles, de boîtes à chapeau et d'accessoires divers qui arrachèrent des cris à Raidon.

Tandis que Deck parlementait avec leur passager de dernière heure pour l'inviter à réduire quelque peu son équipage, Jenny se faisait aussi discrète que possible dans un coin de la jeep. Inutile de se faire remarquer par les membres du Parlement venus en délégation, ni d'inspirer à Quinn l'envie de lui tirer une balle dans la tête pour solde de tout compte.

Sans doute n'avait-elle pas beaucoup de raisons de soutenir la révolution, mais elle préférait réussir cette mission en compagnie de Deck plutôt que de recourir au plan B... contre lui. Plan de secours que la présence de Quinn ne lui rappelait, hélas, que trop !

C'était bien joli d'embrasser les garçons, mais ça ne rendait pas les filles complètement idiotes pour autant. C'est pourquoi, bien qu'elle eût follement envie de lui faire confiance, l'intermède dans la ruelle ne l'avait pas convaincue de dévoiler son jeu.

Elle réprima un soupir ; ils n'avaient pas encore quitté Newgate qu'elle rêvait déjà d'en avoir terminé avec cette histoire. À vrai dire, elle en rêvait depuis le début.

Le voyage allait durer entre trois et cinq jours. On ne s'aventurait pas les yeux fermés dans l'arrière-pays. La veille au soir, après s'être assurée que Deck dormait, elle avait renoué avec quelques vieilles connaissances afin de repérer les champs de mines qu'ils risquaient de traverser, mais aussi les dépotoirs toxiques, ainsi que d'autres obstacles tels que les terres sacrées des aborigènes.

Ils se déplaceraient en jeep, alors qu'elle aurait préféré les hybrides de chevaux, accoutumés au climat ultrasec qui régnait au-delà des monts Kimberley. De quoi endormir n'importe quel conducteur au volant.

Comme le ton montait, elle leva les yeux. Deck et Raidon étaient engagés dans une discussion animée sur l'organisation des bivouacs. Le garde du corps s'opposait mordicus à ce que son patron dorme avec elle, à quoi celui-ci lui rétorqua que Quinn lui ferait courir autrement plus de risques qu'une jeune fille.

— J'aimerais le croire, lâcha Raidon d'un ton crispé.

Elle tendit le cou pour voir ce qui se passait, puis s'avisa qu'au fond ça ne la regardait pas. Néanmoins, elle n'allait pas s'en plaindre ! Il semblait que Deck ne demandait qu'à passer un peu de temps en tête à tête avec elle. Décidément, il l'attirait comme la flamme attire le papillon. Elle était prête à lui tomber dans les bras dès qu'il en manifesterait le désir. Mais du moins l'admettait-elle franchement. Du reste, lui non plus n'avait pas nié qu'elle l'intéressait.

Elle ne put s'empêcher de le regarder tandis qu'il s'éloignait – son corps souple, ses muscles puissants. Pour rien au monde elle ne voulait qu'il s'excuse de l'avoir embrassée dans la ruelle. Rien de pire pour la santé qu'un amour non partagé ; autant rester dans l'incertitude, cela semblait un prix raisonnable à payer pour vivre de tels moments.

L'affaire apparemment réglée, Raidon s'installa au volant de l'autre jeep. Quinn s'approcha et prit appui sur un valet pour grimper à bord, une jambe après l'autre, comme s'il enfourchait un cheval.

— Veuillez noter qu'à partir de cet instant, déclara-t-il à Deck qui inspectait une dernière fois leur chargement, j'essaierai de ne pas vous gêner. Je ne suis là que pour collecter des faits… Un genre de mission de reconnaissance, si vous voulez.

— Vous vous rendez compte des risques que vous courez ?

— J'ai toujours aimé le risque.

Secouant la tête, Deck alla rejoindre la seconde jeep où l'attendait Jenny. Il jeta son sac à l'arrière.

— Tu es certaine d'avoir suffisamment d'informations sur la route ? demanda-t-il. Tu as vérifié qu'elles étaient fiables ? Tu es…

— Deck, l'interrompit-elle, tu conduis, j'assure la navigation. Je sais ce que je fais. On discutera des détails ce soir, au bivouac, mais fichons le camp d'ici. Cette ville me flanque la chair de poule.

Il lui tapota la joue, mais n'insista pas.

Il démarra enfin. C'était comme de partir en vacances en famille. Les fusils et les munitions en plus.

Lorsqu'ils s'arrêtèrent pour la nuit, l'humidité tropicale de Newgate avait fait place à la poussière et au sable rouge.

Ils dressèrent les tentes, allumèrent un feu, et Raidon condescendit même à chercher de la musique diffusée par satellite. Il faisait toujours la tête à Quinn qui, de son côté, ne songeait qu'à allumer cigarette sur cigarette. Le dandy avait passé la journée affalé à l'arrière de la jeep, le chapeau incliné de manière à le protéger du soleil, ravi de regarder défiler le paysage.

Aux étapes, on pouvait le suivre à la trace : il suffisait de repérer le nuage de fumée. Deck détestait cette odeur et ne se gênait pas pour le lui dire.

— Quinn, lança-t-il une fois de plus. Écoutez…

— *Lord* Quinn, je vous prie ! corrigea le dandy en tirant sur ses manches élimées. Même si je ne suis que le cadet de la famille.

Ses trois compagnons de voyage lui jetèrent un regard méfiant.

— Aucune responsabilité, poursuivit-il, mais seulement la moitié de l'héritage. Encore que, si j'avais touché le pactole, cela n'aurait pas fait grande différence. Il m'aurait juste fallu un peu plus de temps pour atterrir dans ce pays.

Jenny s'assit sur une caisse à côté de lui tandis que Deck se versait une tasse de café.

— Qu'est-ce qui vous est arrivé ? s'enquit-elle.

— J'ai tout dépensé : le vin, les femmes, le jeu. Ensuite, j'ai emprunté. Et, bien sûr, je n'ai pas pu rembourser.

— Votre famille ne vous a pas aidé ?

— Sûrement pas ! Elle n'avait que faire de moi. Aucune héritière n'aurait accepté de m'épouser, et de toute façon, ce qu'il reste de nos monarchies achève de s'effondrer. À vrai dire, je ne lui en veux pas. J'étais une gêne plutôt qu'autre chose. J'ai tué un homme, voyez-vous.

Il aspira une longue bouffée et fit une longue pause avant de poursuivre :

— Je me plais à croire que c'était une erreur. Je ne suis pas du genre bagarreur ; de plus, je ne suis bon ni à l'épée ni au pistolet.

— Tout le monde commet des erreurs, commenta Jenny.

Quinn la dévisagea longuement, puis enchaîna :

— Malheureusement, je n'ai pas la moindre idée de ce qui s'est vraiment passé. J'ai totalement oublié les circonstances de l'incident. Néanmoins, je ne jurerais pas que je suis innocent de ce crime. Et voilà pourquoi je me retrouve ici.

Deck en avait assez.

— Jenny, je voudrais qu'on vérifie notre itinéraire, si tu n'y vois pas d'inconvénient.

Là-dessus, il tourna les talons et se dirigea vers sa tente sans attendre sa réponse.

— Jenny ! appela Raidon.

Elle l'ignora et rejoignit Deck qu'elle trouva déjà couché.

— Qu'est-ce qu'il y a ? demanda-t-elle. Tu n'as quasiment pas dit un mot depuis qu'on a quitté Newgate. Tu as l'air sur le point de tuer quelqu'un.

Il glissa les mains sous sa tête, son expression se radoucit.

— Je suis juste un peu à cran.

Rassemblant son courage, elle s'étendit sur son sac de couchage et posa la tête sur l'épaule de Deck. Elle en rêvait depuis l'épisode dans la ruelle. Elle le sentit frémir de surprise mais, quelques secondes plus tard, il l'attira contre lui.

Ils demeurèrent un long moment ainsi, sans rien dire, sans bouger. Enfin, il reprit la parole :

— Ça peut paraître bizarre, mais la fumée de Quinn... j'ai l'impression de la sentir s'immiscer sous ma peau. Et, parfois, j'ai des flashes de... des images de... Je ne sais pas... Mais je ne supporte plus ce truc-là. Je ne suis pas encore remis de cette injection.

Comme elle le regardait d'un air soucieux, il changea carrément de sujet :

— À propos de ce trajet...

Elle se redressa et lui montra le navigateur portable sur lequel elle avait programmé une carte rudimentaire.

— Il faut suivre cette route... enfin, quand je dis « route », c'est une façon de parler. Il doit y avoir des pistes, le long, qui nous permettront d'atteindre la station. Si je m'en tiens à ce que tu m'as dit, elle doit être là, exactement.

Elle désigna un grand X.

— Mais, continua-t-elle, cette zone désertique, autour du site, reste à peu près inexplorée. Les gens et les choses qui s'y trouvent n'aiment pas les étrangers. Il ne faudra pas s'écarter de notre route et se méfier de tout.

« Évidemment, je ne peux pas t'indiquer précisément le chemin qu'on va suivre. On verra au fur et à mesure. Il faudra ralentir dans certains coins, mais j'ai signalé les régions plus fréquentées où on pourra accélérer l'allure. Du reste, on aura intérêt si on veut éviter les bandits de grand chemin. Alors, qu'en penses-tu ?

Deck prit son temps pour étudier la carte. Jenny s'attendait qu'il réfute certains de ses choix, mais il se contenta d'acquiescer d'un signe de tête.

— C'est parfait, commenta-t-il. Je suis content de t'avoir avec nous – sache-le.

— Merci, c'est sympa.

Elle marqua une pause, puis :

— Heu… je voulais te demander : qu'est-ce qui s'est passé pendant les années blanches ?

— Les années blanches ? répéta-t-il, surpris.

— Oui, quand j'étais exilée ici. Qu'est-ce que tu faisais ? Qu'est-ce que tu pensais ? Je n'ai jamais vraiment su ce qui s'était produit après les événements au palais. J'avais déjà été expulsée quand ils ont commencé à te suspecter.

Deck s'éclaircit la voix.

— Tu sais certainement que Kyber m'a fait emprisonner plusieurs mois.

Voilà qui confirmait ses soupçons.

— Disons juste que ça n'a pas été une partie de plaisir, ajouta-t-il.

Elle se mordit la lèvre.

— C'est drôle, je ne le connaissais pas comme je te connaissais toi, mais…

— Mais quoi ?

— D'après ce que j'ai entendu dire, il passe pour quelqu'un de bien. Il n'est pas du genre à ordonner qu'on te maltraite.

Du moins, elle ne le pensait pas. Mais peut-être était-elle victime de la propagande impériale qui voulait qu'un monarque soit toujours bon et juste. Quoi qu'il en soit, ça n'avait pas fonctionné avec l'empereur.

— Tu es certain qu'il était au courant de ce qu'on t'a infligé en prison ?

— Peu importe – il n'avait pas à m'y jeter ! Il aurait pu m'accorder le bénéfice du doute.

— C'est vrai que vous avez toujours eu du mal à vous entendre. Pourtant vous êtes frères.

— Ça dépend de l'importance que tu donnes à l'esprit de famille. Comme tu dis, tu ne le connais pas. Pour faire court, sache que j'étais battu jour après jour par des brutes qui me balançaient des insultes à la figure…

Il luttait visiblement pour garder son calme. Jamais Jenny ne l'avait vu aussi amer.

— Je me moque qu'il en ait spécifiquement donné l'ordre ou non, ajouta-t-il. Les gardiens faisaient ce qu'on leur disait de faire, et c'était en son nom. Désolé, Jenny, mais cette histoire a encore le don de me fiche en rogne.

Quoi de plus normal ? songea-t-elle. Qui était-elle pour décider de ce qui était possible ou pas ? Après tout, Kyber ne l'avait-il pas elle-même exilée simplement parce qu'elle était la fille d'un criminel ? Au fond, il devait être capable de se comporter en tyran, quoi qu'en disent ses plus fidèles sujets.

— Depuis combien de temps est-ce que tu fais partie des Messagers de l'Ombre ? demanda-t-elle. Comment as-tu fait leur connaissance ?

— Disons qu'après avoir été maltraité par les gens de mon frère et jeté en prison pour un crime que je n'avais pas commis, je me suis pris à réfléchir sur l'illégitimité de tout système monarchique.

Il eut un rire sardonique.

— Il s'agit donc bien de vengeance, conclut-elle.

— Non. Les hommes que j'ai rencontrés en prison parlaient de la fin de la monarchie en tant que système de gouvernement. Ils parlaient de changement, de révolution, d'un monde meilleur.

Roulant sur le ventre, il se rapprocha d'elle.

— Ça peut paraître ridicule, mais j'ai eu soudain envie d'en être. De participer à quelque chose qui aurait un sens, qui améliorerait la vie sur cette planète. J'en veux à Kyber pour ce qu'il m'a infligé, mais mon engagement n'a rien à voir avec lui.

— Tu as revu la reine ?

— Ma mère ? Pas depuis qu'elle m'a pardonné, m'a exilé et payé pour que je me tienne à l'écart.

— À ta place, je préférerais récupérer du blé que des excuses.

— Vraiment ? Moi, j'ai trouvé ça plutôt exaspérant. Il faut avoir commis une faute pour obtenir un pardon. Je n'ai pas touché à un cheveu de l'empereur. Ça ne les a pas empêchés de m'accuser.

Il réfléchit, la considéra d'un air curieux.

— Est-ce qu'à mon tour je peux te poser une question personnelle ?

— Vas-y.

— Tu crois que ton père a été mêlé en quoi que ce soit à ce qui est arrivé ?

Jenny se mordilla la lèvre. Que dire ? Elle préféra s'en tenir à la vérité.

— Oui. Absolument. Je pense qu'il a tenté d'assassiner l'empereur.

— Je ne m'attendais pas à t'entendre dire ça.

— Tu sais que ce n'était pas le grand amour entre nous. Alors pourquoi prétendre qu'il n'est pas coupable alors que je pense le contraire ?

Elle jeta un regard autour d'elle, puis lâcha :

— Alors, où est-ce qu'il ou elle se trouve ? La Voix de l'Ombre ?

Deck sourit.

— Pas ici.

— Quoi, « pas ici » ? Tu plaisantes ? On a fait tout ce chemin, et lui a changé de crémerie ?

— Ce n'est pas ça. Nous nous rendons à la première station de transmission. La Voix de l'Ombre nous envoie un signal depuis un autre endroit. Nous ne sommes que des intermédiaires.

— Tu fais du blanchiment de signal ? s'esclaffa Jenny. C'est drôle. J'étais persuadée que la Voix de la Liberté parlerait de là-bas. Où est-ce qu'elle est, alors ?

— Je ne sais pas. C'est justement ça l'important. La station n'est qu'une plateforme destinée à propager l'information et la rendre plus difficile à repérer. Avec nos brouilleurs, les émissions sont impossibles à localiser, mais il nous est tout aussi difficile de déterminer d'où elles sont diffusées.

— Comment sais-tu cela si tu n'es jamais allé là-bas ? s'étonna Jenny.

— Il se trouve que c'est moi qui ai mis au point ce système. Ce que tu verras là-bas, ce sont mes plans, mes maquettes et les gens qui travaillent pour moi.

Elle émit un sifflement.

— On dirait bien que tu as inventé une nouvelle réalité virtuelle. Si tu n'avais pas fait de politique, tu aurais pu devenir célèbre ! le taquina-t-elle.

— Qui a besoin de réalité virtuelle quand il dispose des FP ? riposta-t-il.

— Très drôle ! Ha, ha ! Mais, d'après toi, qui est cette Voix de l'Ombre ? Sérieusement, tu le sais ?

— Aucune idée.

— Qui te dit qu'on ne se joue pas de toi ? Que tu n'es pas un pion entre les mains d'une organisation qui n'est pas aussi vertueuse que tu le penses ?

— J'avoue que ça m'a traversé l'esprit. Mais j'ai voulu courir le risque. Parce que ce dont la Voix parle…

— Franchement, tu y crois, à cette révolution ? coupa-t-elle. À la démocratie et tout le baratin ?

— J'y crois, oui. Si je meurs, et s'il s'avère que c'était une escroquerie, au moins je serai mort au nom d'une noble cause.

— Mais tu seras quand même mort pour des prunes.

— Non, parce que ça pourrait en pousser d'autres à se battre pour leurs idées.

Elle réfléchit, puis :

— Je n'ai jamais cru à ce point à quelque chose.

— Pour être juste, Jenny, je ne pense pas qu'on t'ait donné suffisamment de raisons.

— Merci, Deck, c'est la chose la plus gentille que tu m'aies jamais dite, dit-elle presque timidement.

Un peu surpris, il lui caressa la joue.

— Tu sais que je me soucie réellement de ce qui t'arrive.

Dehors, retentit la voix de Raidon qui appelait Deck. Celui-ci interrompit son geste et se retourna.

Jenny sourit.

— Je sais, souffla-t-elle.

Elle aurait certes préféré que cet instant se prolonge, pourtant, une petite voix accusatrice murmura dans sa tête : « Tu te soucies encore plus de ta révolution. »

Elle le regarda sortir, puis s'étendit à plat dos, considéra la place vide à côté d'elle, puis y posa la main.

Elle aurait dû lui parler de sa conversation avec Quinn, lui raconter ses démêlés avec les gens du Parlement. Elle s'imaginait mal se servir un jour de ce genre d'information contre lui.

Cependant, elle le trouvait trop fanatique à son goût, et ça l'effrayait. Ce qu'ils ressentaient l'un pour l'autre n'avait pas grand-chose à voir avec cette si noble révolution, ce qui l'inquiétait. Serait-il aussi fanatique lorsqu'il s'agira de la protéger, elle ?

Elle ferma les yeux.

« Donne-moi encore un signe, Deck, le supplia-
t-elle en silence, un seul, et je croirai en toi comme
je n'ai jamais cru en personne sur cette satanée
terre ! Donne-moi une vraie bonne raison de te faire
confiance. »

15

— Allez, Raidon, vous êtes forcément doué pour quelque chose… venez danser avec moi !

Il sourit, mais ne bougea pas.

— Allez !

Après un regard oblique à Deck, qui ne sourcilla pas, le garde du corps se leva, s'approcha de Jenny qu'il plaqua contre lui avant de se lancer dans un tango endiablé.

— Je suis choquée ! le taquina-t-elle. Vous traitez les dames bien cavalièrement, pour un officier de la garde impériale !

Raidon lui adressa un clin d'œil, la cambra en arrière, puis la ramena contre lui et poursuivit la danse.

Deck entendit Jenny remarquer :

— Je crois qu'il est jaloux.

Raidon en manqua un pas de saisissement, fit exécuter une dernière pirouette à sa cavalière et la ramena à sa place.

— C'est tout ce que je sais en matière de danse, conclut-il.

Deck avait beau réaliser que c'était de la pure provocation de la part de Jenny, il se sentait au bord de l'explosion. Raidon dépassait les bornes en s'autorisant ainsi ce qu'il lui interdisait à *lui* ! C'était…

Deck se souvint soudain qu'il avait renoncé à ses prérogatives. Il faillit se mettre à rire ; il fallait reconnaître que le rang de prince vous offrait certains avantages là où n'importe quel homme devait se battre pour défendre son territoire. Mais cela était terminé, désormais.

Il n'avait pas oublié sa récente dispute avec Raidon, lorsqu'il avait imposé sa royale volonté : Jenny partagerait sa tente, et personne n'avait à discuter. Il se rendait compte à présent qu'il aurait du mal à perdre certaines habitudes. Croyait-il vraiment en cette révolution ? Croyait-il en l'égalité pour tous… ou pas ? Le temps suffirait-il à lui faire oublier son éducation princière pour devenir un homme comme les autres ?

Tu crois à la révolution, Deck ? Ou tu ne penses qu'à te venger ?

— Bien sûr que j'y crois ! dit-il à voix haute.

— Il y a un problème, monsieur ? s'enquit Raidon.

Deck esquissa un sourire.

— Je réfléchissais.

Quinn s'approcha du feu de sa démarche sautillante, disposa deux mouchoirs sur le sol – un pour chaque genou – et s'installa devant la pierre plate sur laquelle ils cuisinaient. Il sortit un canif rouillé de sa poche et coupa quelques tranches fines de son bâton d'opiacé, qu'il posa ensuite sur des feuilles de papier à cigarettes qu'il roula en forme de cône. Il en offrit poliment une à Deck, ignorant les deux autres.

— Lord Quinn, commença Deck, sans vouloir vous offenser, il s'agit de *mon* expédition, aussi vous demanderai-je, au nom de… de notre confraternité…

Jenny leva les yeux au ciel.

— … d'en respecter les règles. Je vous ai déjà prié une fois de ne pas fumer cette saleté devant moi. Alors cessez de m'en proposer.

Un hurlement retentit dans la nuit. Tous se figèrent.

Quinn blêmit.

— Au nom du ciel ! Qu'était-ce donc ?

— On dirait un dingo, répondit Jenny. Mais, en général, ils ne se déplacent qu'en meute. Donc, ce serait plutôt un bingie.

— Un quoi ? demanda Raidon.

— Un bingie. C'est le nom qu'on donne aux bestioles non répertoriées de l'arrière-pays. Par exemple, un grand-père dingo qui aurait mangé un déchet toxique et plus ou moins muté. Ça ne vit pas longtemps, mais c'est très méchant, et ça cause de sacrés dégâts.

L'animal hurla de nouveau – un cri qui n'était pas sans rappeler le crissement d'un ongle sur un de ces tableaux noirs d'autrefois.

— C'est peut-être le feu qui l'attire, hasarda Quinn.

Il tremblait tellement qu'il n'arrivait plus à fumer.

Jenny s'empara du revolver fixé à sa cheville et ôta le cran de sûreté ; elle vérifia le contenu du barillet.

Raidon ouvrit son sac, en tira des lunettes à vision nocturne. Il en envoya une paire à chacun de ses deux compagnons qui les chaussèrent aussitôt. Quant à Quinn, quasi liquéfié, il s'était rapproché du feu en dépit de la chaleur.

Deck aperçut une silhouette verdâtre qui allait et venait à quelque distance de là. Il laissa échapper un sifflement bas. L'animal faisait la taille d'un veau, sa démarche incertaine rappelait celle de Quinn. Ces deux-là devraient s'entendre, songea-t-il. Ils se nourrissaient des mêmes substances.

Deck se leva d'un bond et alla chercher une grenade à l'arrière de sa jeep.

— Il s'approche, indiqua Jenny comme il revenait s'asseoir près d'elle.

Le bingie hurla encore, beaucoup plus fort. Cette fois, ils le virent nettement à travers leurs lunettes, qui montrait les dents et bavait férocement.

Une chance que Quinn ne soit pas équipé de verres spéciaux lui aussi, car il se serait sans doute affolé.

Ce qui ne manqua pas de se produire lorsque l'animal surgit de l'obscurité, trottinant sur le sable en grognant. Quinn s'enfuit en poussant des cris d'orfraie. Aussitôt, Raidon se lança à ses trousses pour tenter de le rattraper. Lorsque le dandy trébucha, la bête fit volte-face en grondant, tous crocs dehors ; elle se ramassa, prête à l'attaque.

Deck arma le lance-grenades.

— Quinn va se jeter dans la gueule du loup ! s'exclama-t-il. Il est trop près pour que je tire sans risquer de le toucher.

— Je vais détourner son attention ! cria Jenny, avant de filer dans leur direction.

Deck poussa un juron.

Le bingie se tourna du côté d'où venaient ces voix, et aperçut une nouvelle proie, offrant par la même occasion son poitrail en guise de cible. Deck visa et tira aussitôt. Jenny comprit et plongea de côté en se protégeant la tête de ses mains. Le sable gicla de partout. Lâchant son arme, Deck se rua vers elle pour la couvrir de son corps.

Dans un hurlement affreux, l'animal se désintégra, pour ne laisser qu'un tas de chairs ensanglantées. Raidon s'immobilisa.

Jenny était étendue sous Deck, le visage dans le sable, le souffle court. Il avait les lèvres sur son cou et sentit son pouls rapide – son cœur devait battre à tout rompre.

Enfin, il s'agenouilla, l'aida à se retourner. Elle geignit, sa main vola vers sa clavicule près de laquelle un piquant cassé était venu se ficher. Puis elle se releva, comme si de rien n'était.

— Pas de quoi en faire un plat, maugréa-t-elle en pivotant pour s'éloigner.

— Tu ne vas nulle part ! ordonna Deck.

À l'abri de la dune, il l'attira vers lui, lui ôta son gilet pare-balles. Une petite tache de sang marquait son T-shirt. Le piquant s'était logé juste au-dessus de son aisselle droite.

— Ne bouge pas, reprit-il. Je vais l'enlever, mais ça risque de faire un peu mal.

Elle acquiesça. Il abaissa le haut de son T-shirt, découvrit l'épaule et tira d'un geste vif sur le piquant.

Elle émit un léger soupir tandis qu'il appuyait la main sur sa blessure pour empêcher le sang de couler. Après quoi, il sortit sa médicarte d'une de ses poches, répandit une pincée de nanoremède sur la zone touchée.

— Sacré piquant de bingie ! observa-t-elle avec un sourire un peu forcé.

— Ne me refais jamais un coup pareil ! articula-t-il en la prenant par les épaules. *Jamais*, tu m'entends ?

Elle le fusilla du regard, mais ne répondit pas.

Raidon se matérialisa soudain derrière eux, l'air incertain. Deck aperçut lord Quinn qui se relevait péniblement, puis détalait dans l'obscurité.

— Occupe-toi de lui ! ordonna-t-il.

Le garde du corps obtempéra sans broncher.

Un frisson parcourut le corps de Jenny, et elle fléchit un peu. Deck la rattrapa, l'obligeant à se redresser. Le visage baigné de sueur, elle semblait plutôt bouleversée, et il découvrit que lui-même n'était pas loin de l'être aussi.

Du dos de la main, elle chassa le sable qui lui maculait les joues, s'humecta les lèvres de la langue. Puis elle le regarda droit dans les yeux, et tandis qu'il essayait de réfléchir à la suite à donner à cet intermède, elle l'attrapa par les pans de son gilet pare-balles et posa ses lèvres sur les siennes.

Il faillit perdre contrôle, mais se contenta de l'étreindre avec une vigueur qui en disait assez sur son émoi.

Les mains qui avaient agrippé son gilet pare-balles le lâchèrent, mais ce ne fut que pour devenir plus insinuantes, se glisser sous sa chemise.

Il ne pouvait s'empêcher de la laisser faire. En cet instant précis, rien au monde n'aurait pu le convaincre de s'écarter d'elle. Aucune différence de classe sociale, aucun doute. Pas même sa mission.

Deck ne voyait aucune raison de lutter alors qu'il était évident qu'elle ressentait la même chose que lui. Non seulement elle le comprenait, mais elle occupait une place unique dans sa vie. Alors qu'il ne pouvait rien lui promettre.

Mais c'était mieux ainsi, non?

Il se détacha d'elle pour tenter de sonder ces yeux si bleus.

— Ne gâche pas tout, murmura-t-elle en esquissant un sourire. N'essaie pas continuellement d'analyser ou d'expliquer ce qui se passe. Je sais bien qu'on ne va pas s'engager pour la vie.

Pour un peu, il lui aurait dit qu'elle avait tort, mais le moment était mal choisi pour en débattre, de cela il était sûr. Au moins avaient-ils un point commun : ils étaient habitués à prendre des risques. Et pour cette raison, ils avaient appris à saisir la chance lorsqu'elle se présentait à eux, car qui savait ce que leur réservait l'avenir? Si ce voyage devait être l'occasion ou jamais, pourquoi se préoccuper d'autre chose?

Elle prit doucement son visage entre ses mains et, lentement, l'attira vers sa bouche pour un baiser brûlant.

Mais cela ne leur suffisait plus. Leurs deux corps en réclamaient davantage. Il leur fallait s'étreindre plus fort, se mêler, se fondre l'un dans l'autre.

Leurs mains entamèrent une danse sensuelle, se glissant sous les vêtements, caressant, palpant, pétrissant chaque centimètre carré de peau nue qu'elles pouvaient atteindre. Elle ôta fébrilement son T-shirt, entraînant au passage l'élastique qui retenait sa queue-de-cheval.

Il enfouit le visage dans la vague de cheveux roux parfumés au vent de sable. C'en était trop, et pas assez. Jamais il ne pourrait se satisfaire de si peu…

Elle exhala un long soupir avant de s'attaquer à la ceinture de son pantalon, de l'agacer de ses mains fiévreuses.

Il n'en pouvait plus de ces préliminaires affolants. Cela faisait trop longtemps que sa seule présence le rendait fou.

— J'ai envie de toi, Jenny, lui balbutia-t-il à l'oreille en tâtonnant pour lui ôter son pantalon.

À bout de souffle, elle ne put que gémir en réponse, mais elle était tellement ardente qu'il ne douta pas un instant que ce fût un « oui ».

— J'ai toujours eu envie de toi, confessa-t-il dans un soupir.

Libérant son sexe, il la souleva, la plaqua contre un rocher. Elle enroula les jambes autour de sa taille et il entra en elle avec un gémissement de victoire. Une seconde, ils demeurèrent immobiles, stupéfaits, savourant l'instant.

Puis il commença à se mouvoir en elle. Lentement d'abord, lui arrachant des gémissements de volupté mêlés de paroles murmurées qui offensèrent quelque peu ses royales oreilles.

— Quelle petite chipie! dit-il tendrement contre ses lèvres.

Elle se mit à rire, et leurs deux corps en frémirent de bonheur. Il accéléra le rythme, se fit carrément fougueux. Elle rejeta la tête en arrière, plus belle, plus libre et offerte que dans ses rêves les plus fous. Un sourire d'abandon se dessina sur son visage rosi par le plaisir, ses cheveux s'envolèrent comme elle ployait la nuque avec grâce, oubliant joyeusement le sang qui s'était remis à couler de sa blessure, se moquant de tout ce qui n'était pas leur exquise union au beau milieu de nulle part…

À son tour, il perdit la notion du temps et de l'espace. Et dire que certains devaient se contenter de brumes opiacées pour atteindre un tel paradis! songea-t-il juste avant que la jouissance ne l'emporte.

Il l'appuya doucement contre le rocher, épuisé, et elle posa les pieds sur le sol. Ils demeurèrent enlacés, haletants, les yeux clos, à goûter le silence, la vie qui coulait en eux en un flot puissant. Une joie immense, inattendue, envahit Deck – le sentiment que chacune des pièces du puzzle qui composait son existence venait de trouver sa place, formant enfin un tout.

— Tu y as ta place, souffla-t-il.

— Mmm ?

Elle ouvrit les yeux, l'interrogea du regard, un doux sourire flottant sur son visage.

— Rien.

Il glissa la main derrière sa nuque et l'attira contre lui.

Tu as ta place dans ma destinée.

16

Jenny s'éveilla seule dans la tente, l'oreiller de Deck froid à côté d'elle. Elle n'en fut pas surprise. À mesure qu'ils se rapprochaient de la station, une espèce d'impatience fébrile le gagnait. Chaque matin, il se levait plus tôt, et elle avait du mal à le suivre dans son élan.

Entendant des voix s'approcher, elle se dépêcha de s'habiller, vérifia l'état de sa blessure – déjà presque refermée.

Elle prit l'oreiller de Deck – en l'occurrence des vêtements roulés en boule. Cela sentait le cuir, la sueur, la poussière, et même un peu la fumée de FP, grâce à lord Quinn. Et puis, il y avait cette odeur qui n'appartenait qu'à lui et qui la rendait folle. Non, ça ne la rendait pas plus folle que le reste. Tout était fou dans cette histoire. Comme de passer ses nuits dans l'arrière-pays australien entre les bras de D'ekkar Valoren. Comme de renifler son oreiller, telle une collégienne énamourée.

— Jenny ! Debout !

Bon, Raidon ne s'embarrassait plus de circonlocutions. À en juger par le son de sa voix, il n'était pas de bonne humeur. Elle rassembla ses affaires, roula les sacs de couchage et sortit le tout de la tente pour aller le ranger dans la jeep.

Le garde du corps était en train d'effacer les traces de leur passage et lançait des regards exaspérés à Quinn qui fumait, allongé à même le sable.

De son côté, Deck vérifiait les moteurs des véhicules en sifflotant. Ce qui ne lui ressemblait absolument pas. Jenny se dit qu'elle devait y être pour quelque chose.

— Dommage que le bingie ne l'ait pas bouffé, marmotta Raidon en désignant Quinn du menton.

Jenny lui tapota le dos.

— Mal dormi ? s'enquit-elle.

— Il n'a pas arrêté de parler en dormant. C'est d'un gênant ! J'ai l'impression de passer ma vie à le surveiller. On aurait dû emmener d'autres hommes pour assurer notre sécurité.

— Je suis d'accord avec vous, approuva Jenny haut et clair. Deck a perdu l'esprit.

Ce dernier s'approcha.

— Perdre l'esprit est très relatif, fit-il remarquer en souriant.

— Je ne me permettrais pas de commenter l'état d'esprit de Sa Seigneurie, marmonna Raidon. Néanmoins, cette équipe n'est formée que d'un ramassis d'imbéciles ! Et je m'inclus dans le lot.

— Ainsi que Deck ? demanda Jenny, amusée.

— Ainsi que Sa Seigneurie. Mais qu'est-ce qui nous a pris à tous autant que nous sommes d'accepter que ce camé nous accompagne ? Non seulement on ne peut pas lui faire confiance, mais en plus, il ne faut pas le quitter des yeux une seconde. Vous savez combien de fois j'ai dû lui courir après, cette nuit ?

Comprenant que son garde du corps avait besoin de se défouler, Deck adressa un clin d'œil à Jenny et l'aida à hisser une caisse de vivres dans la jeep sans répondre.

Raidon entreprit de rassembler le matériel de camping avec une vigueur superflue.

— Pardon si j'ai l'air un peu amer, enchaîna-t-il en grommelant, mais quand vous m'avez dit que vous vouliez ajouter quelques membres à l'équipe… Enfin, quoi, on se retrouve avec une expulsée miniature, un prince qui place l'idéalisme au-dessus de sa sécurité personnelle, un garde du corps qui a perdu la tête sinon il ne serait pas en train de râler, et un dandy opiomane qui se croit au milieu d'une réception mondaine quand il faut fuir, et qui fuit quand il faut dormir !

— Comment ça « miniature » ? protesta Jenny. Ça aussi, c'est très relatif. Je suis plus petite que *vous*, c'est tout.

Raidon s'arrêta net, croisa les bras.

— Puisqu'on en parle, loin de moi l'idée de vous faire la morale, mais il faudrait réfléchir un peu avant d'agir, ma fille.

— Parfois, on n'a pas le temps, parce qu'il faut agir. Et puis, ça ne s'est pas trop mal passé, non ? Tout le monde s'en est sorti et le bingie est mort.

Et rien de tel qu'une blessure pour entamer une histoire d'amour !

— Voyez-vous ça ! s'exclama Raidon. Ça a failli se faire tuer et ça ne pense qu'à sourire.

— Elle sourit peut-être pour d'autres raisons, fit remarquer Deck.

Il entoura les épaules de Jenny en un geste délicieusement possessif et la regarda au fond des yeux.

— Cela dit, ajouta-t-il, Raidon a raison. Sois prudente. Tu n'es pas invulnérable.

Jenny se laissa aller contre lui et lui tapota le torse.

— J'ai l'habitude de m'occuper de moi-même.

— Alors occupe-toi de ça.

Il lui tendit le GPS et lui glissa une mèche de cheveux derrière l'oreille.

Raidon les observait en serrant les dents, apparemment fort contrarié de ce qu'il devinait.

— Je vais réveiller Quinn, annonça-t-il, et le jeter dans la jeep. On prendra le petit-déjeuner en route.

Il s'éloigna en marmonnant.

Deck saisit Jenny par la taille.

— Bonjour, ma belle.

— Bonjour... monsieur, fit-elle avec un sourire.

— Tu peux m'aider à accrocher les deux voitures ? On dépense trop d'essence. Il faudrait songer à l'économiser.

— Comment est-ce qu'on fait ça ?

— Je vais te montrer, lui murmura-t-il à l'oreille.

— Hé, tu flirtes, là ?

— Oui, pourquoi ?

— C'est qu'on a une mission à remplir, cher monsieur. On n'a pas de temps à consacrer aux galipettes et aux frivolités.

— Mais ça n'a rien de frivole ! se récria-t-il.

— N'empêche que tu devrais davantage te concentrer sur ton objectif.

— Je suis parfaitement capable de faire plusieurs choses à la fois.

Là-dessus, il la pencha en arrière, contre le capot de la seconde jeep, s'immisça entre ses cuisses.

— Devant une jolie fille, je me sens vite en ébullition.

— Devant n'importe quelle jolie fille ?

Il se redressa, prit son visage entre les mains, le caressant du bout des doigts.

— Oh, Jenny, je t'ai tellement désirée ! Ma petite flamme rousse. Je n'ai jamais pu t'oublier. Tu ne peux pas savoir… Et tout ça me semblait tellement impossible ! Impensable ! Et maintenant…

Elle rougit de plaisir, laissant traîner la main de sa gorge à son pantalon.

— J'aimerais avoir le temps de te faire bouillir encore.

Il allait répondre à cette provocation lorsqu'il entendit quelqu'un se racler la gorge derrière eux. Il lâcha Jenny et se retourna.

Quinn les observait avec curiosité. Raidon apparut peu après, l'air grincheux.

— Je suppose que je dois monter avec *lui*, lança Quinn en désignant le garde du corps.

Réprimant un rire, Jenny alla s'installer dans la première jeep.

L'heure qui suivit ressembla davantage à un parcours de montagnes russes qu'à une promenade de santé. De temps à autre, elle entendait Raidon hurler à Quinn de rester à sa place. Quant à elle, elle vivait un grand moment, ballottée qu'elle était contre Deck, manquant à plusieurs reprises d'atterrir sur ses genoux, riant à gorge déployée. Surtout, elle se réjouissait de le voir aussi détendu, s'amusant autant qu'elle. Et de savoir qu'elle en était la cause.

Elle avait l'esprit tellement occupé, entre autres par les plaisirs charnels à venir, qu'elle ne repéra pas tout de suite les pirates des dunes. Ce qui la surprit, cependant, ce ne fut pas qu'ils entrent en scène, mais qu'ils ne se soient pas manifestés plus tôt. Et qu'elle ait été sur ses gardes n'aurait rien changé, car ce genre de malfaiteur avait le chic pour jaillir de nulle part. Ils étaient deux, dans un buggy fait de bric et de broc – à vrai dire un simple pot d'échappement fixé sous un moteur, relié à un réservoir à essence, surmonté de deux sièges et d'une plateforme.

Ils arrivèrent sur eux à vive allure. Ils étaient si bien camouflés que Jenny ne vit d'abord que leurs longs cheveux qui volaient au vent, leurs vêtements couleur de dune, le tout recouvert d'une mince pellicule de sable.

L'un conduisait, l'autre se tenait à l'arrière, où ils avaient entassé leur bric-à-brac. Sans perdre de temps, il orienta son fusil dans leur direction, visant les pneus. Deck donna un coup d'accélérateur à l'instant où le coup de feu claquait. Les balles allèrent se perdre dans l'aile arrière.

Jenny tendit le bras vers la banquette pour saisir son revolver et le lance-grenades.

Dans la seconde jeep, Raidon, qui n'avait qu'à maintenir le volant et se laisser tirer, se servait de sa main libre pour charger son pistolet automatique. Quant à Quinn, comme à son habitude, il semblait tellement terrorisé qu'il ne pouvait lui être d'aucune utilité. Raidon l'attrapa par la cravate et lui hurla quelque chose à la figure. Apparemment mécontent de la réponse, il le projeta sur son siège et, du pied, le poussa vers le sol.

Recroquevillée à sa place, Jenny ne pouvait que se dresser de temps à autre pour tirer au jugé, puis se baisser en hâte tandis que les balles de leurs adversaires ricochaient non loin d'elle. Ce n'était pas ainsi qu'il fallait s'y prendre. Tout à coup, elle se leva, épaula le lance-grenades.

Deck l'attrapa par la veste, mais elle ne sut trop s'il voulait l'aider à garder l'équilibre ou la faire rasseoir. Sans le regarder, elle se libéra et visa le véhicule des pirates.

À l'instant où elle tirait, la jeep fit un bond, envoyant la grenade exploser dans le sable, loin de leurs agresseurs.

Des éclats de rire méprisants retentirent dans le buggy, et Jenny invectiva copieusement les pirates tout en rechargeant son arme.

De son côté, Raidon leur envoya une salve qui les toucha non loin du réservoir. Pas mal, vu les circonstances, d'autant que Deck s'était mis à donner des coups de volant pour éviter les projectiles des pirates.

Sous un feu nourri, Jenny acheva de recharger le lance-grenades. Aucune balle ne les atteignit, en partie parce que le buggy semblait soudain ralentir. Sans doute à dessein.

Elle ne voulait pas les manquer, sachant qu'ils reparaîtraient à un moment ou à un autre de leur périple.

— À trois, cria-t-elle à Deck, tu roules tout droit. Je vais les avoir. Ensuite, on filera sur la gauche.

Deck hocha la tête, et elle commença à compter. À trois, il bloqua le volant et elle visa soigneusement, derrière Raidon, le buggy qui continuait de ralentir. Le conducteur comprit ce qu'il se passait et se mit à son tour à donner des coups de volant, si bien que la grenade ne les toucha que sur le côté. Mais cela suffit, car elle atteignit le réservoir qui explosa.

Telles de petites météorites, des débris de métal brûlant atterrirent à proximité de la jeep où se trouvaient Deck et Jenny. Un silence de mort retomba sur le désert, et une odeur de caoutchouc brûlé leur chatouilla les narines. Comme le calme précédant la tempête, le répit fut de courte durée. Soudain retentit l'énorme fracas d'un objet lourd heurtant une surface dure.

Jenny regarda dans la direction d'où provenait le bruit et vit Raidon penché vers l'arrière de sa jeep que venait de frôler la carcasse en flammes du buggy.

Deck lui cria quelque chose qu'elle n'entendit pas. Il freina brusquement, et elle se retourna. Brusquement, les montagnes russes reprirent de plus belle.

La jeep venait d'attaquer de front une dune qu'elle escalada gaillardement avant de replonger de l'autre côté.

Projetée en avant, Jenny bascula sur le capot en poussant un cri d'effroi. Elle tenta aussitôt de se raccrocher à ce qu'elle pouvait. Les essuie-glaces ! Qui se cassèrent dans ses mains. Le pare-brise ! Aucune prise. Ses paumes glissaient le long du capot. Dernière chance : la calandre.

La calandre. Ses doigts se refermèrent dessus tandis que les deux véhicules freinaient dans un hurlement.

Jenny s'accrochait d'autant plus désespérément qu'elle sentait ses jambes s'agiter dans le vide. Elle risqua un coup d'œil sous ses pieds et constata avec horreur qu'ils se trouvaient au sommet d'une falaise. Le moteur du buggy s'était écrasé au fond de la faille.

Toujours retenu par sa ceinture de sécurité, Deck était presque en position debout tandis que la jeep pendait pratiquement à la verticale de la paroi, retenue par celle de Raidon qui offrait un contrepoids assez puissant pour l'empêcher de tomber. Lord Quinn avait disparu de la circulation.

S'agrippant de toutes ses forces à la calandre, Jenny ferma un instant les yeux et s'efforça de respirer calmement pour juguler la panique qui menaçait de la gagner.

Dans un crissement sinistre, la jeep pencha lentement vers l'avant. Jenny poussa un cri. Ils allaient finir par basculer dans le vide !

— Que personne ne bouge, siffla Raidon.

Jenny se mordit la lèvre ; elle avait l'impression que les muscles de ses épaules étaient sur le point de se déchirer. Elle ne tiendrait pas longtemps. Deck ne la quittait pas des yeux, plus prince que jamais, le visage impénétrable, résolu dans son impuissance, prêt à affronter le pire des sorts. Les roues tournaient à vide. Il n'avait aucun moyen de les sortir de là. Pas cette fois-ci. Il ne pouvait rien faire sans rompre leur équilibre précaire.

Ses paumes étaient tellement moites, elle se sentait lâcher prise lentement. La volonté ne suffirait pas.

— Aide-moi, Deck.

Prisonnier, lui aussi, il paraissait en proie à un terrible combat intérieur. Lentement, il finit par se pencher vers le capot, le bras tendu à l'extrême, mais pas assez pour atteindre Jenny.

Ce qui ne faisait qu'empirer les choses. Ils se tenaient à quelques centimètres l'un de l'autre, et la distance était pourtant infranchissable.

— Tiens bon, Jenny. Je t'en supplie !

— Je ne peux pas…

Il se coucha presque, malgré les courroies qui le retenaient, et la voiture tressaillit.

— Que personne ne bouge ! cria de nouveau Raidon. Sinon nous allons tomber.

Avec mille précautions, il enjamba la portière, puis s'approcha le plus près possible et tendit le bras vers Deck.

— Monsieur, attrapez ma main et débouclez votre ceinture de sécurité, que je puisse vous tirer vers moi.

— Va chercher Jenny. Je ne peux pas l'attraper.

— Non, monsieur, nous irons la chercher après.

À son ton, elle comprit qu'il pourrait bien ne pas y avoir d'après.

Les jeeps oscillèrent, et elle faillit lâcher prise.

— Raidon va me tenir, ainsi je pourrai t'atteindre, lui cria Deck.

Elle le vit s'agripper à son garde du corps tout en détachant sa ceinture.

— Vite, implora-t-elle. Je n'en peux plus !

— Je vous tiens, annonça Raidon à Deck. Je vais vous remonter.

— Attends, je dois pouvoir l'atteindre, à présent. Aide-moi.

Il se coucha sur le capot, tendit la main à Jenny.

— Attrape-la.

Elle eut beau essayer, elle n'y parvint pas.

— Ça ne sert à rien d'insister, monsieur. Vous ne pourrez pas la ramener.

Deck s'entêta, s'étirant encore et encore.

Les jeeps tressautèrent, les roues du second véhicule mordant maintenant le bord de la falaise. Une pluie de sable s'abattit sur la tête de Jenny.

— On va tomber ! s'écria Raidon.

Le corps de Jenny se balançait de droite et de gauche tandis qu'elle essayait de nouveau de se hisser vers Deck. Encore une tentative. Encore un soubresaut.

— Je ne peux pas vous ramener tous les deux en une seule fois, avertit Raidon. Monsieur, ce sera l'un ou l'autre. Je vous remonte !

— Non, je vais y arriver, hurla Deck.

— Ne le laisse pas te remonter sans moi ! implora Jenny.

— Monsieur, la révolution a besoin de vous !

À ces mots, Jenny sentit Deck tergiverser. Elle le vit à d'imperceptibles détails : ses doigts qui se repliaient malgré lui, la lueur incertaine qui traversa son regard...

Raidon gémit, entre douleur et désespoir.

— Je vais désolidariser les deux voitures, Jenny, annonça-t-il. Je n'ai pas le choix, et j'en suis désolé, je veux que vous le sachiez.

Et elle qui se faisait encore des illusions !

— Non, haleta-t-elle. Ne me laisse pas tomber, Deck !

Il n'avait hésité qu'une fraction de seconde. De nouveau, il se pencha vers elle, l'appelant, l'encourageant, lui criant d'essayer, encore, *encore*...

Au-dessus de lui, Raidon le tira par son gilet pare-balles en ahanant, puis détacha le boulon de fixation.

Elle les fixait encore du regard lorsque tout s'effondra autour d'elle dans une accélération qu'elle crut pourtant voir au ralenti : la jeep soudain lâchée dans le vide, Deck qui se débattait en hurlant son nom, Raidon qui le retenait de toutes ses forces. Et les deux hommes qui disparaissaient de sa vue dans un chaos de métal brisé.

Finalement, elle se vit tomber dans un ruissellement de sable qui lui sifflait aux oreilles tel un vent furieux.

Si quelqu'un doit mourir, ce sera moi.

17

Elle atterrit sur une étroite corniche qui saillait de la falaise, se reçut sur l'épaule, tandis que sa joue raclait la roche. Une partie du sol s'affaissa comme elle s'agrippait à des buissons. Elle parvint, Dieu sait comment, à se hisser face à la paroi sur ce qui restait de la saillie, une bande de terre juste assez large pour lui permettre de s'y tenir sur la pointe des pieds.

Elle ferma les yeux, tentant de se concentrer sur la conduite à tenir.

Quelques secondes plus tard, la jeep s'écrasa sur les rochers en contrebas dans une cacophonie de métal broyé. Un nuage de poussière, de chaleur et de feu jaillit des décombres, obscurcissant l'air autour d'elle.

Et puis plus rien qu'un silence irréel, seulement troublé par sa respiration haletante.

Alors que le nuage se dissipait peu à peu, elle demeura immobile, les yeux rivés sur la paroi.

Deck l'appela. Il l'avait repérée sur son piédestal et il criait son nom à s'en arracher les poumons.

Elle ne répondit pas. Elle n'avait plus besoin de son aide, ni maintenant ni jamais. Elle ne voyait que la corniche qui fondait à vue d'œil sous ses pieds. Il allait falloir trouver une solution, et vite.

« Débrouille-toi comme tu veux, Jenny Red, mais sors-toi de ce bourbier », s'ordonna-t-elle.

Elle inhala une longue goulée d'air, entendit plus distinctement les voix de Deck et de Raidon. Ils lui criaient quelque chose, des conseils, peut-être, des promesses. Elle s'en moquait, ne voulait pas le savoir. Elle appuya le front contre la paroi, et se mit à pleurer.

Elle ne portait même pas les gantelets ; elle n'avait en guise d'outil que les lames fichées sur le devant de ses bottes. Elle devrait s'en contenter. Tremblant de tous ses membres, elle plia lentement les genoux, le dos droit, tendit la main vers le talon de ses bottes qu'elle fit tourner avec mille précautions, déclenchant le mécanisme de la lame. Un cran d'arrêt apparut à l'extrémité de sa botte, qui s'enfonça aussitôt dans la muraille. Soudain prise de vertige, elle s'immobilisa, au bord de la nausée, attendit que l'alerte passe.

La paume droite plaquée sur la paroi, elle atteignit son talon gauche, en fit sortir le couteau, mais la roche était trop dure à cet endroit ; la lame se cassa et tomba dans le vide.

Sanglotant de manière irrépressible, elle trouva le courage de lever la tête. Les silhouettes de Deck et de Raidon se détachaient toujours sur le ciel aveuglant. Heureusement qu'elle ne distinguait pas leurs visages ; elle n'avait pas envie d'y lire de la pitié, de la culpabilité ou quelque sentiment que ce soit. Elle avait envie d'être en colère.

À tâtons, elle chercha une motte d'herbe à laquelle se raccrocher, puis se hissa un peu plus haut, ignorant la douleur qui lui cisaillait les épaules. Elle retira son cran d'arrêt de la paroi et le planta quelques centimètres au-dessus, s'en servant comme d'un crampon. Rassemblant ses forces, elle se propulsa vers le haut.

Elle continua son ascension, laissant échapper un cri sourd chaque fois qu'elle progressait.

Ses compagnons lui lancèrent une corde, mais elle ne chercha même pas à l'attraper.

Raidon la supplia de les laisser l'aider. Deck s'allongea au bord de la falaise, se pencha, tendant le bras comme quelques minutes auparavant.

Les joues sillonnées de larmes, elle refusa de leur accorder cette seconde chance. C'était sans doute idiot, elle pouvait tomber à tout moment, sa lame pouvait se casser, mais tant pis.

Sable et cailloux coulaient autour d'elle comme si la roche s'effritait à mesure qu'elle grimpait. À bout de souffle, les muscles en charpie, le cœur cognant dans sa poitrine, elle poursuivait obstinément son ascension.

Non loin du sommet, elle leva de nouveau la tête. Deck l'attendait, une angoisse sans nom dans son regard gris. Elle entendait sa voix, ses supplications… mais elle s'interdisait de l'écouter. Il pourrait dire ce qu'il voudrait, plus jamais elle ne l'écouterait.

À moins d'un mètre du bord, elle ralentit ; son corps refusait pratiquement de lui obéir, ses forces l'abandonnaient. Avec un grognement rageur, elle se hissa vers le sommet.

Les mains de Deck s'enroulèrent autour de ses poignets et il la tira vers lui.

— Lâche-moi ! glapit-elle, furieuse.

Raidon la cueillit par le torse et la ramena en terrain sûr, alors qu'elle ne cessait de crier et de se débattre.

Lorsque ses genoux touchèrent le sol, elle les repoussa, se redressa et, rassemblant ses dernières forces, elle envoya un coup de lame dans la cuisse de Deck.

L'expression choquée qui se peignit sur ses traits l'effraya et la ravit à la fois.

Elle voulait lui faire mal. Lui montrer ce qu'on ressent lorsqu'on est trahi par l'être aimé. Ainsi qu'il l'avait fait des années auparavant, ainsi qu'il venait de le faire de nouveau.

Mais Raidon ne l'entendait pas de cette oreille. Il s'interposa entre eux et tenta d'éloigner Deck, mais celui-ci refusa de bouger, comme s'il voulait qu'elle continue. Sans se faire prier, elle attaqua de nouveau, beaucoup moins fort, cette fois, non parce qu'elle voulait l'épargner mais parce qu'elle n'en pouvait plus. Seule sa colère la tenait encore debout.

Raidon fondit sur elle et la plaqua au sol, désactivant la botte. Jenny ne tenta pas de lui résister ; haletante, elle laissa libre cours à ses larmes, se fichant qu'on la voie pleurer.

Son adversaire se releva, et les deux hommes demeurèrent figés sur place. Deck fit un pas vers elle, comme pour l'aider, mais elle sécha ses larmes en hâte, puis se remit seule sur ses pieds.

Elle se passa la manche sur le visage pour s'essuyer et planta un regard révolté dans les yeux de Deck.

— Et tu voudrais que je te croie ?

Là-dessus, elle tourna les talons et se dirigea en boitant vers la jeep rescapée, ramenée loin du bord et où Quinn attendait en fumant. Comme elle approchait, le dandy lui ouvrit la portière arrière. Elle n'avait pas le choix. Aussi entra-t-elle et s'installa-t-elle à côté de lui.

Jamais elle ne pardonnerait à Deck son attitude, même s'il lui fallait reconnaître qu'elle seule pouvait effectivement se tirer de cette situation. Il lui avait montré son angoisse, il avait tenté de l'aider, mais trop tard. Elle le haïrait à jamais pour ses hésitations. Et Raidon avec lui. Voilà qui prouvait quelle place elle occupait dans les préoccupations du prince.

Elle s'était bien nourrie d'illusions, ce jour-là, dans la ruelle ! Elle avait toujours su qu'il existait une attirance entre eux. Mais l'opium n'avait rien d'un sérum de vérité, au contraire, il ne vous révélait que ce que vous aviez envie de voir.

Au bout du compte, Deck ne se souciait que de sa révolution ; elle passait avant tout le reste. Raidon ne savait qu'une chose : qu'il devait protéger son patron envers et contre tout. Et Quinn, lui, ne croyait qu'en sa drogue.

En ce qui la concernait, désormais, elle ne croirait plus qu'en elle-même, ne compterait plus que sur elle.

Quelques minutes s'écoulèrent ainsi, dans un silence de plomb. Puis Quinn prit la parole :

— Accepteriez-vous d'avoir un petit entretien avec moi ?

Sans même chercher à savoir ce qu'il voulait, elle secoua la tête avec dédain ; quoique, au fond, elle soit tentée d'accepter. Trahir Deck ? Faire passer sa propre sécurité avant la sienne à lui ?

Elle jeta un coup d'œil de biais. Deck et Raidon étaient engagés dans une grande discussion à voix basse, cherchant probablement comment rattraper le coup vis-à-vis d'elle. Elle se mordit la lèvre et se tassa sur son siège.

Soudain, le garde du corps se matérialisa à ses côtés, l'air malheureux.

— Que diriez-vous de faire bouillir de l'eau pour nettoyer ces coupures et ces écorchures ? risqua-t-il.

Toujours aussi folle de rage, Jenny se redressa et déclara en regardant droit devant elle :

— Je vais prendre la jeep et aller m'assurer que ces pirates sont bien morts.

Elle savait qu'ils l'étaient, mais elle avait besoin de prendre le large un moment.

Sans qu'on ait à le lui demander, Quinn quitta le véhicule tandis qu'elle se glissait au volant.

Raidon lui posa la main sur l'épaule, mais elle l'écarta d'un geste agacé. Il se frotta la nuque, affreusement mal à l'aise.

— Jenny, je suis désolé. Sincèrement. Je sais que ça ne suffira pas, mais…

Elle s'agrippa au volant.

— C'est à cause de lui et de votre stupide serment. Vous me rendez malade. S'il vous ordonnait d'aller vous jeter dans ce ravin, vous iriez. Sauf qu'il n'est plus prince, et que vous ne lui devez rien. Rentrez chez vous. Menez vos propres combats. Vous l'aidez pour une révolution qui n'est même pas...

— Vous ne pouvez pas comprendre.

— Non, j'ai du mal! Deck a renoncé à ses titres, à ses prétentions. Et laissez-moi vous dire une chose : on a fait l'amour, cette nuit. Qu'il soit né prince ou clodo, je le vaux bien, et peu importe ce que vous en pensez. Vous ne me trouvez peut-être pas assez bien pour lui, mais franchement, j'en ai rien à cirer.

Raidon semblait furibond.

— Vous ne comprenez pas. Je veille sur vous. La vérité, c'est que...

— Laissez tomber! Je la connais, la vérité.

Elle eut un rire amer avant de poursuivre :

— Vous parlez de veiller sur moi? Elle est bien bonne! Vous n'êtes même pas capable de vous occuper de vous-même. Si vous croyiez à la révolution, encore, ça aurait un sens, mais tout ce que vous croyez, c'est que la vie de Deck vaut plus que la mienne à cause de quelque serment idiot. La prochaine fois, laissez-moi crever, je vous en prie. Mais à votre place, je réfléchirais bien avant de condamner à mort un de mes équipiers. Maintenant, barrez-vous.

Raidon se détournait quand il se ravisa et fit volte-face, le doigt pointé sur elle.

— Je suis désolé pour ce qui vient de se passer, je vous l'ai dit. Mais je ne vous permets pas de me juger. Regardez-vous. Il n'y a rien dans votre vie de plus important que *vous-même*. Vous êtes soumise à quiconque peut vous faire chanter ou vous tenter. Je pourrais être amené à faire des choses terribles pour remplir mon devoir moral, mais c'est tout de même mieux que de n'agir que par pur égoïsme.

Elle plissa les yeux.

— Je ne suis pas sûre qu'il y ait une différence.

Raidon soupira et tourna les talons.

Jenny démarra et s'aperçut alors que Quinn était accoudé à la portière côté passager. Il inspira une longue bouffée de sa cigarette avant d'exhaler un rond de fumée parfait. Un petit sourire aux lèvres, il recula d'un pas et la salua.

Alors qu'elle amorçait une marche arrière, Jenny songea combien ce serait facile de changer de camp. Ainsi, elle ressemblerait exactement au portrait que Raidon venait de tracer d'elle. Que ce serait confortable de se mettre du côté du pouvoir, plutôt que de celui de Deck et de ses rêves creux ! Après tout, si elle n'était pas digne qu'il se batte pour elle, pourquoi se battrait-elle pour lui ?

18

— Ça ne s'est pas bien passé.

Deck posa sur le sable la casserole d'eau bouillante, avant de se redresser.

— Non, je ne suis arrivé à rien, avoua le garde du corps. J'aurais peut-être dû vous laisser… Écoutez, elle ne veut pas qu'on la soigne. Elle ne veut rien avoir à faire avec nous pour le moment. Je propose qu'on reprenne la route.

— Et ses blessures ?

— À la façon dont elle se tenait, je dirais qu'au pire elle s'est froissé les côtes. Sinon, elle a quelques bleus et des égratignures. Il lui suffira de les badigeonner d'antiseptique et d'avaler un antibiotique. Voyons plutôt votre plaie à la cuisse.

— Ça va, je m'en suis déjà occupé.

Sur ce, il éparpilla d'un coup de pied le foyer qu'il avait dressé en attendant Raidon.

— Elle va devenir incontrôlable, reprit-il.

— Elle l'a toujours été, fit remarquer Raidon. Et, franchement, je ne l'en blâme pas, ajouta-t-il sans détour.

— Moi non plus.

Décidément, ça allait de mal en pis. Et sur tous les fronts ! Non seulement leur équipe venait de se désintégrer, mais ils avaient aussi perdu la majeure partie de leur équipement en même temps que leur jeep. Ils se trouvaient en principe à une trentaine de kilomètres de la station, mais nul ne savait ce qui les attendait encore avant l'arrivée. Et personne ne se sentait particulièrement optimiste.

Même Quinn semblait d'une humeur massacrante. Il avait dû réaliser qu'une bonne partie de ses réserves d'opium avaient disparu avec la jeep.

La nourriture et l'eau potable menaçaient de manquer d'ici peu ; la température montait, il deviendrait bientôt difficile de s'hydrater correctement.

Pour la centième fois, Deck contempla les dunes. Rien. Pas le moindre signe de vie à l'horizon.

Il ne restait plus qu'à espérer qu'un miracle se produirait lorsqu'ils atteindraient leur destination.

Comment les choses avaient-elles pu si mal tourner ? Depuis une heure, il ne cessait d'entendre Jenny l'appeler à l'aide. Il allait finir par perdre la boule s'il continuait ainsi à se repasser le film de l'accident en s'interrogeant sur ce qu'il aurait dû faire.

Apparemment, Raidon était tourmenté par les mêmes pensées.

— Personne n'aurait pu se douter qu'il y avait cette falaise, marmonna-t-il en secouant la tête.

— Elle était camouflée par les dunes.

— Je n'ai strictement rien vu.

Il ouvrit la bouche pour ajouter quelque chose, mais ne dit rien.

Deck avait souvent l'impression que son garde du corps voulait lui confier ses pensées, mais qu'il ne parvenait pas à s'adresser à lui comme à un simple ami. Ou au moins comme à un égal. Deck s'assit près de lui.

— Si tu menais la barque – si tu n'avais pas été mon vassal autrefois –, qu'aurais-tu fait ?

Raidon lui adressa un sourire incertain.

— J'ai été incapable de concilier mon serment avec les faits récents. Quand j'ai cru qu'elle n'allait pas s'en sortir… ce qui, à une époque, semblait noir et blanc m'a tout à coup paru devenir gris, avoua-t-il d'une voix rauque. Voilà longtemps que vous m'avez libéré de mes responsabilités.

— C'est vrai. Tu sais que tu es toujours libre de partir. Alors dis-moi ce que tu aurais fait.

— Selon moi, j'avais des chances de vous sauver si je commençais par vous. Si j'avais commencé par elle, vos chances en auraient été sérieusement diminuées. Il n'en était évidemment pas question. Cela dit, si je m'étais occupé d'elle avant, je l'aurais sans doute sauvée. Ce qui m'aurait certainement permis de vous tirer d'affaire tous les deux.

Il parlait d'un ton presque indifférent, comme s'il s'agissait simplement d'une question de stratégie.

— Qui sait ? reprit-il. La seule véritable question était de savoir quand et comment cette voiture allait finir par tomber. Et ça, c'était imprévisible.

— Que ferais-tu si ça devait se reproduire ?

Le garde du corps soupira, puis tourna soudain la tête et regarda Deck dans les yeux.

— Franchement, monsieur, si quelque chose d'approchant devait arriver, je ne jurerais pas que je réagirais de la même façon. Parce que je ne suis pas certain d'avoir fait le bon choix.

Apparemment, quelque part en route, Raidon avait commencé à se forger son propre jugement, ses propres opinions, mais il s'interdisait encore de les exprimer pour la simple raison qu'il avait prêté serment. Un bon garde du corps obéissait sans réfléchir, et Raidon avait été l'un des meilleurs du palais. Ce qui signifiait qu'il avait accepté de faire ce qu'il devait, non ce qu'il voulait. Mais Deck pouvait-il encore exiger cela de lui ?

— Que veux-tu dire ? insista-t-il.

— Je ne sais pas trop. Ça s'est passé si vite ! Est-ce que je vous ai sauvé par pure loyauté, par fidélité à mon serment ? Dans ce cas, Jenny n'étant qu'une roturière et vous un prince du sang, vous prévaliez en tout sur elle. À moins que je n'aie agi ainsi parce que vous vous battiez pour une noble cause, encore plus importante que la parole donnée. Ou alors, plus

164

simplement, je m'en suis tenu égoïstement à ma ligne habituelle.

Deck se rendit compte que, depuis une dizaine d'années qu'il connaissait cet homme, celui-ci venait d'exprimer pour la première fois un doute dans l'accomplissement de sa tâche. Qu'il remette en question son serment, qu'il s'interroge sur sa valeur comparée à celle de la révolution en disaient suffisamment long.

Lui-même avait été confronté à un cas de conscience semblable. Pour la première fois depuis qu'il s'était rangé aux côtés des Messagers de l'Ombre, depuis qu'il leur avait consacré ses ressources, ses talents – sa vie entière, à vrai dire –, il avait senti ses convictions faiblir devant le regard effrayé de Jenny. À présent, il en éprouvait une honte incommensurable.

Sans doute, dans son autre vie, aurait-il pu justifier ses actions par son seul titre de prince. Mais à présent qu'il avait renoncé à ce privilège, il allait devoir répondre de ses actes comme n'importe qui.

Il se leva, posa la main sur l'épaule de Raidon.

— Dis-toi que, serment ou pas, je suis désormais un homme comme toi. Le prince D'ekkar Han Valoren est un fantôme. Je ne dois plus allégeance à la Maison des Han. Je ne suis plus prince. Je ne serai jamais roi, et la monarchie est destinée à disparaître. Tes dettes d'honneur à mon égard ont été largement réglées. Mon nom est D'ekkar Valoren et, comme tu le sais, mes amis m'appellent Deck. Comme je te l'ai déjà dit, ta vie n'appartient désormais qu'à toi.

Le garde du corps parut soulagé de ne pas avoir à répondre, car Jenny revenait à toute allure au volant de la jeep. Elle freina, coupa le moteur, sauta par-dessus la portière en essuyant son front en nage, ôta le casque de son communicateur qu'elle jeta sur le siège près du GPS.

Raidon lui tendit le récipient d'eau bouillie et elle en but une gorgée.

— Les pirates sont mort, annonça-t-elle. Je n'ai pas poussé très loin, mais rien ne bouge sur au moins trois kilomètres. Plutôt austère, comme coin, ajouta-t-elle en parcourant l'horizon du regard.

Tous trois restèrent plantés là, aucun n'osant prendre la parole. Des remerciements semblaient déplacés. Deck put ainsi constater que les années passées à pratiquer l'art de la diplomatie au palais ne lui étaient guère utiles en la circonstance.

Ce fut Jenny qui rompit le silence.

— Bon, je vais chercher Quinn.

Il se contenta d'acquiescer. Elle faisait son travail mais c'était comme si on avait éteint une lumière en elle. Elle était froide, distante, terriblement efficace. Un robot.

Elle lui manquait déjà, cette sauvageonne imprévisible qui n'avait pas froid aux yeux. Et pas peur de lui. Elle avait désormais édifié un mur infranchissable autour d'elle, et s'il tentait un pas dans sa direction, elle se braquait. Sans doute devrait-il insister, trouver le moyen de s'excuser – mais il la connaissait suffisamment pour savoir qu'avec elle toute excuse sonnerait creux. Serait interprétée comme un signe de faiblesse. Qu'elle ne l'en respecterait que moins.

D'une certaine manière, il se débattait avec les mêmes problèmes que Raidon. Son hésitation n'avait-elle été dictée que par un simple réflexe ou avait-il cru un instant que l'abandonner à son sort était la seule chose à faire ? Cet incident ne faisait-il au fond que refléter ses sentiments profonds, aussi bien envers Jenny qu'envers la révolution ? Ou n'était-ce qu'une bévue stupide, résultat d'un conflit entre son cœur et sa raison ?

Impossible de redresser la barre. Du moins pour le moment, de cela il était certain. Mieux valait aider Raidon à charger la jeep pour le départ.

Ils se remirent en route peu après. Installée à l'arrière, Jenny se penchait de temps à autre vers Raidon pour lui indiquer la direction communiquée par son GPS. Ils tombèrent enfin sur une espèce de route qu'ils suivirent sur plusieurs kilomètres.

— On ne doit plus être loin, lança soudain Jenny. Ralentis... ralentis.

Le cœur de Deck se mit à battre.

— Encore quelques mètres... là !

Elle leva la main.

— Stop !

Refermant son appareil dans un claquement, elle annonça, sans la moindre trace d'humour :

— On est arrivés. C'est ici !

Le véhicule s'était immobilisé dans un site plus désertique que jamais. Personne n'osait regarder Deck. Pas un bâtiment, pas une antenne, pas l'ombre d'un Messager dans les parages. Rien n'indiquait la présence d'installations souterraines. Pas la moindre activité à des kilomètres à la ronde.

Machinalement, Raidon porta la main à la gourde pendue à sa ceinture, la secoua. Elle était pratiquement vide.

La main en visière, Deck inspecta le ciel, comme si un miracle allait se produire.

— Qu'est-ce que tu comptais trouver, au juste ? demanda Jenny brutalement.

Il lui jeta un coup d'œil. Ma foi, il la préférait narquoise qu'absente.

Sans répondre, il sauta à terre et s'éloigna. Raidon lui cria de prendre garde aux mines, mais il n'en tint aucun compte.

Soudain, il y eut comme une vibration dans l'air. Deck la ressentit plus qu'il ne l'entendit.

— Qu'est-ce que c'était que ce truc ? s'écria-t-il.

Restés dans la jeep, ses trois compagnons le fixèrent comme s'il avait perdu la tête. Il avança encore de quelques pas et se sentit plonger au cœur du bruissement.

— Bon sang, qu'est-ce que c'est que ça ? répéta-t-il.

Raidon échangea un regard avec Jenny, puis bondit hors du véhicule et rejoignit Deck, le pistolet à la main.

— J'ai déjà senti cette odeur, reprit ce dernier, incapable toutefois de se rappeler où.

Ce n'était pas désagréable, mais... une odeur de brûlé, peut-être ?

— Je connais ça, renchérit Raidon.

Jenny arriva derrière eux, armée du lance-grenades. Quinn descendit à son tour de la jeep, pour se dégourdir un peu les jambes.

Deck reprit sa progression à travers les dunes. Dans certaines directions, l'atmosphère se faisait plus lourde, l'odeur plus prononcée que dans d'autres. Il suivit la piste la plus marquée.

Un coup de feu retentit, surgi de nulle part.

— Le salaud ! s'exclama Deck. Tout le monde à terre ! Fermez vos gilets pare-balles.

Il se laissa tomber sur le sol près de Jenny et la couvrit d'un bras protecteur, qu'elle repoussa aussitôt.

Armé jusqu'aux dents, Raidon rampa vers eux.

Deck chercha Quinn du regard. Celui-ci s'était arrêté au beau milieu du champ de tir pour dépoussiérer ses bas et sa culotte. Il allait finir par se faire tuer.

— Tu as vu d'où ça provenait ? demanda Jenny.

— La balle a heurté le sol là, répondit-il en lui indiquant une marque dans le sable.

Jenny s'en approcha à plat ventre, puis tendit son navigateur pour viser le site et enregistrer l'angle de sortie. Elle lut le résultat à mi-voix :

— Trente-deux degrés sud.

Après quoi, elle programma son lance-grenades, mais ne se découvrit pas.

— Ne tire pas ! l'avertit Deck. *Surtout pas !*

— Pas avant d'être sûre de moi.

Elle rampa jusqu'à un rocher sur lequel elle appuya son arme, sortit une ou deux fois la tête, épaula, puis pressa le bouton de visée automatique. Le canon vira légèrement en direction de l'endroit d'où le coup de feu était parti. Elle y lança un regard, puis un autre derrière elle.

— Il n'y a rien, annonça-t-elle. C'est complètement désert.

Deck vint la rejoindre.

Une autre détonation retentit. Ils plongèrent en avant. Elle posa le doigt sur la détente, mais ne tira pas.

— Personne n'est touché? demanda-t-elle. Sinon je riposte!

Deck se retourna, interrogea Raidon du regard qui fit non de la tête, avec un geste d'impuissance.

— Qu'est-ce que ça veut dire? J'ai presque l'impression qu'il ne s'agissait que de tirs de sommation.

Jenny s'essuya le front, puis les paumes avant de reprendre son arme. Elle inspecta de nouveau les lieux, finit par abaisser le canon de son arme.

— Deck, il n'y a pas un chat dans les parages.

— Technologie holographique, commenta-t-il. C'était ça, cette odeur, un mirage. Voilà tout!

Maintenant qu'il y réfléchissait, il avait senti cette même odeur, éprouvé cette même sensation juste avant que la jeep plonge dans la faille. Était-ce pour cela qu'il n'avait rien vu venir?

— Tu as sans doute raison, concéda Jenny. Mais ça n'explique pas les coups de feu.

— La station est ici. J'en suis certain.

Il se releva d'un bond et s'avança, les bras tendus devant lui tel un aveugle. L'étrange vibration emplissait l'atmosphère. Une espèce de vent tiède, en plus dense, peut-être. Il sentit la curieuse substance lui effleurer la peau. Il trébucha, comme bousculé par l'épaisseur de l'air.

Pourtant, il avançait toujours. La voix de Jenny retentit derrière lui:

— Deck, arrête!... Ne fais pas ça!

Du coin de l'œil, il aperçut Raidon qui se redressait à son tour et s'élançait dans sa direction, sans plus se préoccuper de sa propre sécurité.

Brusquement, la main de Deck disparut dans la masse chatoyante d'une muraille. Le paysage qui s'étendait autour se mit à onduler.

— Reculez, monsieur ! hurla Raidon en brandissant son fusil.

Deck se retourna, leur fit signe de le rejoindre.

— Tout va bien ! Vous pouvez amener la jeep.

Interdite, Jenny demeura un instant immobile, puis elle courut vers le véhicule, attrapa Quinn au passage et démarra.

Raidon se précipita vers son patron et plongea dans l'hologramme.

Deck pénétra calmement dans la station qu'il avait conçue mais jamais vue.

19

Une activité de ruche régnait derrière l'hologramme. Curieusement, l'arrivée de Deck avait provoqué une sorte de réaction qui n'était pas sans rappeler à Jenny la réception royale à laquelle avait eu droit Kyber le mois précédent lorsqu'il avait visité l'un de ses territoires. Elle y avait assisté par écran holographique interposé dans un bar de Macao. Deck n'apprécierait sûrement pas la comparaison – encore moins l'idée que Kyber pouvait être aimé –, mais c'était ainsi.

Autour d'elle, le paysage semblait soudain s'être considérablement rétréci. La station était beaucoup plus petite qu'elle ne l'avait imaginé, mais semblait fonctionnelle, et d'une propreté surprenante. On avait même songé à décorer le hall d'entrée, qui était brillamment coloré et offrait de larges vues holographiques des villes du monde entier.

Enfin elle les voyait, ces Messagers de l'Ombre, qui surgissaient d'un peu partout pour serrer la main de Deck, l'accueillir avec effusion, le débarrasser de ses bagages, lui offrir des bouteilles d'eau purifiée, quand ils ne le filmaient pas carrément. À croire qu'ils l'attendaient comme le Messie ; et lorsqu'un appel retentit, annonçant une réunion urgente, ce fut comme si on emmenait l'empereur en personne vers la salle de conférences.

La joie de Deck avait quelque chose de communicatif. Cette fois, Jenny comprit que sa mission ne reposait sur aucun désir de vengeance ; il suffisait de le voir saluer les révolutionnaires avec simplicité, leur taper sur l'épaule, les encourager à poursuivre la lutte. Elle qui ne partageait pas leurs idéaux se sentait soudain exclue.

Et lorsque la foule s'égailla, il devint patent que Deck l'avait complètement oubliée.

Curieuse malgré tout, elle ramassa son sac et le suivit de loin. Comme elle s'apprêtait à entrer dans la salle de conférences, un bras lui barra le passage.

— Désolé, mais vous avez un moyen de vous identifier?

Elle leva un œil incrédule sur le garde.

— Vous voulez rire? Je suis arrivée avec Deck.

Il afficha un air navré.

— Est-ce qu'il vous a remis une carte sécurisée?

— Non, mais…

— Dans ce cas, je suis désolé.

Il lui claqua littéralement la porte au nez.

Jenny fixa le panneau métallique derrière lequel retentissaient des bruits de voix étouffés, des éclats de rire – Deck avait encore dû lâcher une plaisanterie fine.

Une fois de plus, elle se retrouvait en marge de la vie de Deck. Simple spectatrice, comme toujours et partout. Et dire qu'il l'avait traitée d'égoïste! Et Raidon aussi. C'était peut-être vrai. Elle cherchait toujours la bonne place; parce que personne ne la lui offrirait. Si c'était cela, être égoïste, elle était prête à l'inscrire sur son front.

Elle contempla les brillantes holophotos sur les murs. Sans doute censées rappeler aux gens le but de leur mission: libérer le monde. Quant à elle, cela lui rappelait simplement qu'elle n'avait jamais visité aucune de ces villes – et ne les visiterait probablement jamais.

Elle se remémora l'expression de Deck lorsqu'il était entré dans cette fichue salle. Il souriait, content. Heureux. Cet endroit le résumait à la perfection.

Interdit ; tout comme ses secrets, sa confiance et son cœur. Le salaud.

Une rage comme elle n'en avait jamais éprouvée monta en elle. Brusquement, elle détala et se mit à courir sans but à travers les couloirs, ouvrant les portes qui voulaient bien s'ouvrir, mais, à part celle des toilettes, elles requéraient une carte d'accès. Perdue dans ce labyrinthe, elle se mit à chercher la sortie, hésita, s'affola. Voilà donc ce pour quoi Deck avait failli la laisser mourir : ce dédale de pierre et d'acier. Elle avait mal partout, se cognait aux murs ; il lui semblait qu'elle tournait en rond, une douleur sourde lui martelait le crâne, mais le pire, c'était ce chagrin diffus qui l'oppressait, lui donnait l'impression d'étouffer. Elle allait devenir folle si elle ne sortait pas immédiatement de cet endroit !

C'est alors qu'elle tomba sur Quinn qui prenait la pause au beau milieu du hall, ses intentions aussi claires que de l'eau de roche. La main sur la hanche, le petit doigt élégamment recourbé, l'autre au bord du chapeau. Les yeux aussi brillants que le faux diamant sur sa cravate.

Jenny ralentit le pas et s'arrêta devant lui.

Ils étaient seuls.

— Venez avec moi.

Il la saisit par le bras d'une poigne de fer plutôt surprenante. C'était la première fois qu'elle le voyait agir de manière délibérée.

Elle se laissa entraîner jusqu'aux toilettes unisexes ; il la poussa dans une cabine, vérifia que les autres étaient vides. Elle se laissa plaquer entre le distributeur à papier et le balai sans opposer la moindre résistance, comme si c'était là une fatalité contre laquelle elle ne pouvait rien. Quand il comprit qu'elle ne comptait pas se débattre, il parut étonné et la lâcha.

— Pardon de vous avoir ainsi brusquée, ma chère petite. J'avais de bonnes raisons de croire qu'il me faudrait insister quelque peu pour emporter le morceau.

Dans de tels locaux, ses manières désuètes confinaient au ridicule. Jenny pouffa d'un rire nerveux. Ses côtes endolories protestèrent, lui rappelant que son univers avait basculé. Les ennemis étaient devenus des amis, les amis des ennemis. Elle s'était engagée dans un camp...

... allait-elle travailler pour l'autre ?

Elle aspira une goulée d'air confiné.

— Vous ne m'avez encore rien vendu, lâcha-t-elle d'un ton qui se voulait catégorique.

Mais c'était précisément ce qu'il voulait, cet immonde taré. Il n'avait strictement aucun avenir, ce n'était qu'un de ces larbins lubriques qui lui avaient déjà si souvent mis des bâtons dans les roues.

— Pas encore, rectifia-t-il.

Serrant les poings, elle ferma les yeux.

— Ça va bien se passer, ma chère, susurra-t-il en lui replaçant une mèche derrière l'oreille.

Elle ne put s'empêcher de frémir et rouvrit les yeux. Elle le dévisagea froidement, en calculant mentalement la différence qui séparait sa main de son revolver, de son couteau – ce serait si facile de l'éliminer d'une balle ou d'un coup de lame...

Mais tuer un membre du Parlement, ça faisait désordre, à preuve la situation dans laquelle elle s'était retrouvée la première fois. Alors pour ce qui était d'échapper de nouveau à Newgate...

Le Parlement avait fini par la retrouver. Il avait pris son temps, mais il avait le temps.

— C'est le moment ou jamais, reprit Quinn.

— De faire quoi ?

Et c'était reparti pour le bal. Les négociations. Le conflit. Le pour et le contre. Les sacrifices inévitables. Les choix qui s'offraient à elle, tous plus pourris les uns que les autres. La vengeance. Les avantages qu'elle pourrait en tirer parce que personne ne songerait jamais à lui en offrir pour ses beaux yeux.

— De régler votre dette avec le Parlement.

Elle se mordit nerveusement la lèvre.

— C'était de la légitime défense.

— Un membre du Parlement est mort à cause de vous. Il faut que quelqu'un paie. Vous savez comment cela se passe.

— Je ne voulais pas le tuer, croyez-moi.

— Peu importe ce que vous vouliez. C'est le résultat qui compte. Vous ne l'ignorez pas.

— C'était de la légitime défense, s'entêta-t-elle.

— Appelez cela comme vous voulez, il n'empêche qu'il est mort

— Je l'appelle par son nom! s'emporta-t-elle. Ça ne se fait pas d'aller pêcher une fille dans la rue pour en faire sa putain personnelle. En plus, il paraît que j'aurais dû être contente!

— La plupart des dames sont ravies de recevoir une invitation d'un membre du Parlement.

— Une invitation? Ton copain voulait me forcer, c'est quand je lui ai résisté, quand je l'ai repoussé qu'il s'est cogné la tête. Aussi bête que ça. Je ne dis pas que je ne l'ai pas envoyé promener, mais je n'ai jamais voulu le tuer. Et puis…

— Vous aviez déjà tué des hommes, n'est-ce pas? Pourquoi voudriez-vous que nous pensions que c'était différent, cette fois?

— Parce que c'était de la légitime défense. Je n'ai jamais tué personne de mes mains, et je n'ai jamais tiré sur personne sans avoir une excellente raison. Ce n'est pas moi qui commence. Je fuis les conflits, et…

— Et on vient vous provoquer. Voyez-vous, cette petite conversation commence à me fatiguer. Je n'ai que faire des pourquoi et des comment de votre vie. Vous avez tué un membre du Parlement. Peu importent vos raisons. Nous devons agir en conséquence, un point, c'est tout. Vous le savez très bien, sinon vous ne vous seriez pas enfuie. Laissez-moi vous dire que vous n'avez plus le choix, vous êtes au pied du mur, à présent. Alors, soit vous coopérez avec moi et faites ce que je vous demande, soit il y aura un avis de recherche lancé contre vous dès mon retour. Ou même si je ne rentre pas.

Elle croisa les bras.

— Il y en a déjà un.

— Sans offre de récompense ni la mention « morte ou vive ».

— Je vois.

— Vous voyez.

Il eut un geste languide de la main.

— Vous pourrez toujours teindre ces beaux cheveux roux, changer ce que vous voudrez dans votre apparence, nous vous retrouverons. Vous passerez votre vie à vous cacher. Et ne croyez pas ceux qui prétendent que le Parlement n'a aucun pouvoir en dehors de l'Australie. Nous avons des yeux dans le monde entier. Lorsque vous avez quitté Newgate, je sais que vous êtes passée clandestinement par New Séoul et Hong Kong avant de vous installer à Macao. Encore qu'« installer » soit un bien grand mot. Vous avez eu du mal à y trouver du travail, n'est-ce pas ?

Elle frissonna. Ces gens étaient effectivement beaucoup mieux renseignés qu'elle ne le pensait. Pourquoi fallait-il donc qu'elle soit toujours à la merci de quelqu'un ? Si tu ne fais pas ceci, pas cela, et patati et patata. Pourquoi ne pouvait-elle faire ce qu'elle voulait ? Aller où elle voulait ? Chaque fois qu'elle s'était trouvée devant un choix, c'était entre le mauvais et le pire.

De dépit, elle se tapa la tête contre la paroi métallique.

— Il est temps de décider de votre avenir, Jenny Red. En fait, c'est très simple : vous travaillez pour moi dès maintenant, et l'on considère que vous avez payé votre dette au Parlement. Vous n'aurez plus besoin de fuir ni de vous cacher.

Elle eut un rire sans joie.

— Ah oui ?

— Vous vivrez à Newgate dans les meilleures conditions qui soient ; vous aurez accès à tous les avantages du Parlement. Jamais plus personne ne vous obligera à faire quoi que ce soit contre votre volonté. Personne ! répéta-t-il d'un air entendu.

— Ça ne m'intéresse pas.

Quinn prit un air las.

— Je vous en prie. Servez-vous de votre tête de temps en temps. Quoi que lord Valoren ait pu vous offrir en dehors de Newgate, il ne pourra jamais honorer ses promesses.

Un flot de terreur envahit Jenny. Quinn savait-il quelque chose ? L'alliance de Deck avec la révolution allait-elle le conduire à sa mort ? Était-il déjà condamné ? À moins que Quinn ne laisse entendre que le Parlement comptait l'exécuter lui-même ?

— Qu'est-ce que vous en savez ? gronda-t-elle.

Inclinant la tête de côté, le dandy l'étudia d'un air faussement intéressé.

— Vous n'avez jamais révélé à lord Valoren pourquoi ce n'était pas le grand amour entre le Parlement et vous, n'est-ce pas ? Tsst, tsst, ma chère ! Quelle preuve de confiance est-ce donc là ?

Jenny s'empourpra et détourna les yeux.

— Curieux, enchaîna-t-il, comme, à mesure que le temps passe, vos liens avec le Parlement se resserrent alors qu'ils deviennent de plus en plus ténus avec lord Valoren. Vous feriez bien de considérer mon offre, car elle est des plus généreuses. Vous constaterez bientôt qu'il n'est plus aussi facile qu'autrefois de s'échapper de Newgate. Quand bien même vous fuiriez aujourd'hui, ou me tueriez...

Il lui souleva le menton pour l'obliger à le regarder.

— Si vous ne prenez pas soin de vous, nul ne le fera à votre place. Sa Seigneurie n'a que trop prouvé que vous ne pouviez lui confier votre vie. Un dessein plus grand retient son attention.

Elle n'en revenait pas. Pour quelqu'un qui semblait vivre sur une autre planète la plupart du temps, Quinn avait tout compris et savait appuyer là où ça faisait mal.

— Il vous aurait laissée mourir, Jenny. Pour un peu, ça l'aurait arrangé… s'il n'avait pas eu besoin de vous pour l'amener ici.

Ces propos la choquèrent. Parce qu'elle savait au fond de son cœur qu'ils ne reflétaient en rien la vérité. Elle avait beau être en colère contre Deck, il tenait à elle, elle n'en doutait pas. À sa façon, certes ; sans doute la plaçait-il après la révolution. Mais il ne la laisserait pas mourir de gaieté de cœur. Elle l'avait senti à son contact, lu dans ses yeux.

— Non, lâcha-t-elle. Ce n'est pas ainsi que ça s'est passé. Je me fiche de ce que vous avez pu ou cru voir. Ce n'est pas vous qui le regardiez dans les yeux.

Là-dessus, elle repoussa Quinn et sortit de la cabine.

Il se rua derrière elle, l'attrapa par la veste et la tira en arrière.

— Je vois que nous ne nous sommes pas bien compris.

Fouillant dans sa redingote, il en sortit non pas son étui à cigarettes mais un grilleur de neurones, arme des plus illégales. Ça vous immobilisait, vous réduisait à l'état de légume, sans forcément vous tuer, mais toujours dans d'atroces souffrances.

Le canon pointé sur sa tempe, il lui glissa le bras autour du cou et l'entraîna vers la porte. Elle se vit dans la glace en passant, blême, les yeux cernés, emmenée par un vieux beau, pas assez décrépit toutefois pour ne pas représenter une sérieuse menace.

20

Quinn franchit la porte et emprunta l'un des couloirs de la station. Jenny avançait d'un pas trébuchant, incapable de dire où il l'emmenait.

Elle leva les yeux, mais ne repéra aucune caméra de surveillance. Les systèmes de sécurité devaient être réduits à leur plus simple expression. Le repaire des Messagers de l'Ombre était petit, et tout le monde se connaissait. En outre, ceux qui auraient pu exercer une quelconque surveillance devaient se trouver à la conférence de Deck. Celui-ci ne comptait-il pas sur elle pour garder Quinn à l'œil ? Cette pensée la fit grincer des dents.

Ils s'immobilisèrent devant une porte et, sans quitter sa prisonnière des yeux, Quinn sortit son étui à cigarettes. Il appuya sur ce qui ressemblait à un élément de décoration, et une carte blanche jaillit, à l'évidence une carte d'accès.

— Où est-ce que vous avez trouvé ça ? ne put-elle s'empêcher de demander.

— Lord Valoren nous a rendu une petite visite au Parlement, vous vous souvenez ?

Ils avaient dû lui faire les poches et copier ses codes après l'avoir drogué. Quelle classe !

Quinn était dans un état lamentable. Son arrogance l'avait déserté, et il ne prêtait plus attention à sa mise. Ses mains tremblaient. Il était visiblement en manque. Jenny s'avisa qu'elle pourrait en tirer avantage – restait à découvrir comment.

Le Parlement devait avoir entendu parler des Messagers de l'Ombre, sans trop savoir comment les atteindre, bien avant que Deck ne mette les pieds à Newgate. À son arrivée, ils l'avaient immédiatement repéré et avaient bondi sur l'occasion. En leur imposant Quinn comme compagnon de voyage, ils savaient ce qu'ils faisaient. Quoi qu'en pense Deck, ils avaient tout à redouter d'une révolution.

Quinn tendit la carte à Jenny en lui faisant signe d'ouvrir.

Deux choix s'offraient à elle : jouer le jeu ou feindre de jouer le jeu. Elle pouvait faire ce qu'il lui demandait pour l'instant, puis s'enfuir dès que possible, et réparer les dégâts sans que personne en sache rien. Elle pouvait aussi accepter l'offre du Parlement, ce qui serait encore plus facile. Après tout, Deck avait fait passer la révolution avant elle, sans états d'âme. Il serait donc mal placé pour lui reprocher de chercher à sauver sa peau. Elle pourrait toujours se dire ça ensuite, lorsqu'elle aurait du mal à dormir la nuit et que les larmes lui viendraient aux yeux.

— Allons-y, je vous prie ! siffla Quinn en lui envoyant une légère bourrade.

Elle glissa la carte dans le lecteur, sachant qu'elle ne se condamnait pas pour autant à choisir le camp du Parlement. La porte s'ouvrit avec un *clic*.

Ils pénétrèrent dans le centre de données, petit mais parfaitement organisé, avec deux énormes serveurs, divers systèmes de stockage de données, et un réseau complexe de câbles reliés à la matrice de télécommunication.

Curieusement, Jenny se revit en train de faire l'amour avec Deck. Elle avait cru alors que leur relation avait pris un nouveau départ, qu'il y avait un avenir possible entre eux, dans ce nouveau monde dont il rêvait…

Elle s'efforça de chasser ces souvenirs si troublants, n'y parvint pas, et comprit que cela venait de ce qu'elle entendait sa voix. La salle de conférences devait se trouver juste de l'autre côté de la paroi.

— Que voulez-vous que je fasse ? demanda-t-elle à Quinn.

Elle nota mentalement qu'il lui faudrait enregistrer avec soin les détails de ce qui allait se passer, au cas où elle voudrait ensuite réparer les dégâts.

— Vous allez chercher la puce du brouilleur ; celui qui permet à la Voix de l'Ombre de ne pas se faire repérer.

— Ça ressemble à quoi ?

Quinn la gifla violemment.

Elle le fixa, stupéfaite. Une réaction aussi vive ne lui ressemblait pas. Pas de doute, il était travaillé par le manque. Et ça ne risquait pas de s'arranger.

— Je vais vous dire ce qu'il y a à faire au fur et à mesure. Et parlez à voix basse, je vous prie !

Elle acquiesça. Inutile de le provoquer, il tenait une arme trop dangereuse à la main.

À mi-voix, il entreprit de débiter ses instructions, tel un robot. Les suivant à la lettre, elle commença par dévisser le panneau arrière d'une des machines. À travers fils et cartes, elle finit par dégager la puce verte qui intéressait Quinn, tout en enregistrant soigneusement chacun de ses gestes. Dans l'ordre.

Pas un seul signal d'alarme ne se déclencha, à aucune des étapes. Qu'ils étaient donc naïfs, ces révolutionnaires ! Ils ne voyaient en cette station qu'un poste de communication, sûrement pas un objectif de guerre. Ils n'avaient pas envisagé un instant un possible sabotage, effectué en l'occurrence par l'un des propres compagnons de leur chef.

Et voilà, elle avait terminé. Dès que la Voix de l'Ombre serait de nouveau diffusée sur les ondes, elle serait aussitôt repérée. En quelques heures, cette station – de même que d'autres un peu partout – serait encerclée, et les Messagers de l'Ombre arrêtés.

Dire que la liberté du monde reposait entre ses mains, sur cette minuscule rondelle de métal !

— Refermez le panneau, ordonna Quinn.

— Si vous saviez ce qu'il fallait faire, objecta-t-elle, vous n'aviez pas besoin de moi.

— Quoi, vous ne voulez pas me donner un coup de main ? Je pensais que vous seriez contente de bénéficier de notre petite offre. Vous pouvez nous faire confiance, croyez-moi.

— Vous ne voulez rien toucher de vos mains, c'est ça ?

Il eut un sourire indulgent.

— Nous préférons en effet que ce soit vous qui laissiez vos empreintes, ma chère, vos traces et...

Il tira doucement sur une de ses mèches.

— ... vos cheveux uniques.

D'un geste délibéré, il laissa tomber un cheveu entre deux machines.

— Inutile de tenter de convaincre lord Valoren qu'on vous a forcée de quelque manière que ce soit. Il ne disposera pas de la moindre preuve de ma présence ici.

— Je pourrai me contenter de lui raconter ce qui s'est passé. La vérité, vous connaissez ?

Quinn faillit s'étrangler de rire.

— Parce que vous imaginez qu'il vous croira ? Réveillez-vous, ma petite, il allait vous laisser tomber dans ce ravin ! Que vous souhaitiez vous venger n'en semblera que plus naturel.

Comment le contredire alors qu'elle-même n'était pas certaine de la réponse ?

Soudain, il toussa, si violemment que Jenny ne put s'empêcher de sourire. Avec des gestes tremblants, il sortit une tranche de son pain d'opiacé et la glissa en hâte dans sa bouche. Elle vit à quel moment précis la drogue pénétra dans son organisme, et cela lui fit penser à un robot qu'on viendrait de rebrancher. De nouveau, il la toisait de son air moqueur, héros fanfaron et décadent de son propre film.

— Posez la puce là-dedans, dit-il en lui tendant une boîte de plastique transparent.

— Pourquoi faire tout ça? marmonna-t-elle en s'emparant de la boîte. Qu'est-ce que ça peut vous fiche qu'une voix appelle d'ici à la révolution? Vous avez la mainmise sur Newgate. Il y a trop de criminels là-bas qui ne veulent surtout pas entendre parler de démocratie. Personne n'osera jamais se soulever contre vous.

Quinn se contenta de sourire.

— Enfin, c'est vos oignons, ajouta-t-elle.

D'un geste vif, elle posa la boîte sur le sol et la glissa du pied sous l'un des serveurs.

La mâchoire serrée, Quinn plongea à terre, à la grande surprise de Jenny. Mais l'espace où avait disparu la rondelle était trop étroit pour qu'il y passe la main.

— Vous mériteriez que je vous tue! cracha-t-il. Vous vous rendez compte de ce que ça vaut?

— C'est vos oignons, répéta-t-elle d'un air de défi.

Elle n'était plus la seule à transpirer, constata-t-elle tandis qu'il s'essuyait le front, cherchant du regard un objet susceptible de l'aider à récupérer la boîte.

Un tonnerre d'applaudissements retentit derrière la paroi métallique. Deck devait avoir fini son discours.

— Vous tenez vraiment à récupérer ce truc? demanda-t-elle d'un ton sarcastique.

Le dandy considérait l'interstice d'un œil anxieux.

— Ce n'est pas grave, souffla-t-il. J'aurais juste aimé emporter une preuve.

Ben voyons! Il semblait mélancolique, tout à coup, comme si rapporter cette puce lui apparaissait davantage comme un triomphe personnel que comme une victoire sur la révolution. Cependant, il n'insista pas et rouvrit la porte.

— Allons-y!

Jenny ne demandait que ça.

Ils regagnèrent en hâte le hall d'entrée. Au passage, Jenny tenta bien de faire une halte aux toilettes, histoire d'échapper à Quinn, mais il ne fut pas dupe.

— Quoi? Vous tenez donc tant à nous faire remarquer?

Ils se retrouvèrent bientôt au pied des holophotos de la frontière du Tri Canada, comme s'ils les admiraient depuis vingt minutes. Le cœur de Jenny se mit à battre lorsque la foule des Messagers de l'Ombre sortit de la salle de conférences.

Un garçon s'arrêta près d'elle.

— Désolé pour les coups de feu, tout à l'heure. Nous ne vous avions pas reconnus.

Il s'éloigna avant qu'elle ait eu le temps de répondre.

Elle regarda autour d'elle, ne sachant trop où aller ni que faire. Comme elle se dirigeait vers les toilettes pour s'y cacher, Deck l'interpella:

— Jenny! Par ici!

Elle se retourna et fendit la foule pour le rejoindre.

— Les Messagers de l'Ombre, Jenny! On a réussi!

Elle lui adressa un sourire radieux, puis tous deux parurent se rappeler en même temps qu'ils étaient en froid.

Raidon apparut, brisant le silence qui était tombé entre eux.

— Monsieur, il y a une autre réunion de prévue pour planifier la logistique de ce soir. La Voix de l'Ombre a pris contact avec nous. Tout est prêt.

— Pourrais-tu procurer un laissez-passer à Jenny? Je pense qu'elle devrait assister à la suite.

Il se tourna vers elle:

— Si tu le désires, évidemment. Pardon pour la conférence, mais...

— On peut s'en occuper dès maintenant, coupa Raidon.

— Il faudrait surveiller Quinn, lâcha Jenny.

— Oui. Encore une fois, pardon de t'avoir obligée à t'occuper de lui si longtemps. La relève arrive.

Suivant son regard, Jenny vit une femme de petite taille, les cheveux tirés en chignon, s'approcher du dandy. Elle la connaissait, c'était une ancienne fille de cuisine du palais des Han.

Quinn lui murmura quelques mots, puis lança à l'adresse de Jenny :

— Ma chère petite ! J'ai beaucoup aimé notre conversation.

Sur ce, il ôta son haut-de-forme, exécuta un superbe salut avant d'offrir le bras à son accompagnatrice.

— Va au diable ! grommela Jenny.

Ignorant les regards surpris de son entourage, elle crut entendre l'intéressé répliquer :

— J'y suis déjà, Jenny. J'y suis déjà.

21

Deck regardait Quinn en arrêt devant l'holovidéo du port de Hong Kong. Il avait une mine épouvantable, constata-t-il. Sortant de la salle de contrôle, il le rejoignit.

— Lord Quinn, j'aimerais vous parler.

— Mais naturellement ! répondit ce dernier avec empressement. J'espérais bien vous rencontrer. Je voulais vous remercier pour cette visite. Ma guide m'a fort obligeamment expliqué le fonctionnement compliqué de votre station. Je reconnais que certains détails m'ont échappé, mais je n'en reste pas moins impressionné par votre opération. Je suis certain que le Parlement se montrera fort intéressé par ces installations. Aimeriez-vous que nous discutions les termes de notre contrat ?

Deck sourit.

— Votre guide est parfaitement qualifiée pour mener cette négociation. Elle fera son rapport ensuite. Je désirais vous parler d'autre chose.

— Dites-moi ce qui vous préoccupe.

Quinn avait la voix éraillée, les yeux injectés de sang.

— Pour être franc, je vous trouve mauvaise mine.

Le dandy sortit son étui à cigarettes et lui montra ses malheureux restes d'opiacés.

— C'est que les réserves sont basses, mon ami, bien basses.

Il choisit le plus petit mégot qu'il alluma sous l'œil dégoûté de Deck.

— Écoutez, si vous prévoyez de rester ici un moment, je vous suggère de consulter le médecin sur-le-champ. Si vous préférez repartir immédiatement pour Newgate, vous pouvez emprunter notre navette d'approvisionnement. À vous de choisir.

Quinn parut un peu rasséréné.

— Oh, je pense qu'il est temps que je rentre ! J'ai vu ce qu'il y avait à voir.

— Parfait. Je vais demander à Jenny si elle désire profiter de la navette, elle aussi.

Quinn eut un curieux regard.

— Je vous conseille de vous en abstenir, mon vieux. La pauvre a besoin de se reposer avant d'entamer un nouveau voyage. Certes, elle ne voudra jamais l'admettre. Mais croyez-moi, mieux vaut garder mon départ secret.

— Vous avez sans doute raison, reconnut Deck après réflexion. Je pourrai lui recommander la prochaine navette, prévue dans quarante-huit heures. En outre, cela vous permettra de prendre un peu plus vos aises.

Sans mentionner le fait qu'il n'était pas certain d'être prêt à se séparer d'elle déjà. Avec un peu de chance, ils parviendraient peut-être à se réconcilier.

Quinn lui envoya une bouffée de fumée en plein visage. Deck eut un geste agacé pour la chasser et toisa le dandy d'un œil glacial. Combien de fois devrait-il lui demander d'arrêter ce petit jeu ? Ébranlé, déstabilisé, il s'humecta les lèvres.

— Vous en voulez ? proposa Quinn.

Tout à coup, Deck prit conscience de ce qui le tourmentait depuis un moment.

— Pourquoi vous obstinez-vous à m'offrir cette saleté ? À moi et à personne d'autre ?

— Mon cher, je n'ai pas l'intention de gâcher la marchandise avec un sous-fifre. Vous savez, j'ai l'impression...

187

Il tira une autre bouffée comme s'il absorbait un élixir de vie.

— J'ai l'impression que je vous fascine et vous répugne à la fois.

— Comment cela ?

— Je suis comme vous.

— Je ne crois pas, non, rétorqua Deck d'un ton méprisant.

Quinn paraissait beaucoup s'amuser.

— Mais si ! À cette petite différence près que moi, je n'ai plus le moindre espoir.

— Dans ce cas, vous avez raison. Et c'est dû à une autre différence, énorme, celle-ci, qu'on appelle la maîtrise de soi.

— Vous ne vous rendez même pas compte que vous êtes à un cheveu de perdre l'esprit, répliqua le dandy, avant d'éclater d'un rire suraigu qui donna à Deck l'envie de l'étrangler. Nous le sommes d'ailleurs tous, lord Valoren, vous finirez bien par le reconnaître.

Il plongea dans un salut exagéré et toucha le bord de son chapeau.

Cette fois, Deck l'attrapa par la cravate, l'obligeant à se hisser sur la pointe des pieds.

— Qu'est-ce que vous fichez ici, au juste ? siffla-t-il.

— Je commence à me le demander moi-même, mon vieux. Cet endroit est d'un déplaisant !

Deck le lâcha brutalement.

— Je vous pose encore une fois la question : qu'est-ce que vous fichez ici, au juste ?

Une lueur bizarre s'alluma dans le regard bleu de Quinn.

— Et vous ? riposta-t-il, un brin menaçant.

— Vous pouvez rester, vous savez. Vous êtes déjà en manque – ce serait l'occasion d'en finir avec votre dépendance. Il n'y a pas que le Parlement, figurez-vous. Personne à Newgate ne sait exactement où vous vous trouvez. Et je doute qu'ils envoient qui-conque à votre recherche, ajouta Deck un peu cruel-lement.

— Je pense que vous les sous-estimez.

— Et moi, je pense que vous leur obéissez aveu-glément parce que vous ne savez plus rien faire d'autre. Parce qu'ils vous disent ce que vous devez faire et que, si vous ne vous exécutez pas, vous ne recevrez pas votre dose d'opium. J'ai raison ? C'est bien ainsi que ça fonctionne ? Si vous ne rentrez pas au plus vite, vous serez à court de réserves, et vous verrez alors clairement à quel degré de bassesse vous êtes tombé. Non, je ne suis pas des vôtres, et je ne le serai jamais !

Brusquement, Deck n'avait plus qu'un désir : éloi-gner cet homme des Messagers de l'Ombre et de leur mission.

— Vous avez un quart d'heure pour vous présenter devant l'entrée, au départ de la navette. Ne la man-quez surtout pas.

D'un geste vif, Deck lui heurta le poignet du tran-chant de la main, l'obligeant à lâcher son misérable mégot qu'il écrasa impitoyablement du talon. Avec un gémissement enfantin, Quinn se jeta à quatre pattes sur le sol pour récupérer quelques miettes. La carapace s'était fissurée, révélant le misérable pantin.

Écœuré, Deck tourna les talons et s'éloigna. Fini de jouer les diplomates. Il était évident que Quinn en savait beaucoup trop. Et que ça ne datait pas d'hier.

Il se rendit directement dans la salle de défense. Plongé dans la pénombre, bourré d'écrans et peuplé de spécialistes casqués qui traquaient les dernières nouveautés en matière de technologies, l'endroit évo-quait l'intérieur d'un sous-marin. La sécurité était située en bas de la liste des préoccupations de Deck lorsqu'il avait élaboré les plans de la station, davantage parce qu'il avait d'autres priorités que parce qu'il ne se souciait pas du danger.

Par chance, ils n'avaient pas eu besoin de se défendre jusque-là, mais Deck savait depuis le début qu'un jour ou l'autre on découvrirait la station. Pas aussi rapidement, toutefois. Ils disposaient cependant d'encore un peu de temps. L'important était de diffuser la Voix de l'Ombre dès cette nuit, avec les relais nécessaires pour qu'elle soit entendue sur la Terre entière.

— Écoutez-moi, tous! lança-t-il. Nous allons devoir mettre en œuvre dès ce soir les deux moyens de défense que j'ai évoqués durant la conférence. Formez deux équipes; l'une démarrera sans attendre le déménagement de la station et installera un nouveau mirage. L'autre mettra au point un plan pour recruter à Newgate des gens destinés à former notre milice. Il faudra élaborer un système de contrôle afin de s'assurer que nous avons affaire à de vrais candidats pour la révolution. Je ne veux pas de mercenaires professionnels.

Les Messagers de l'Ombre se mirent aussitôt au travail, et Deck regagna le centre de contrôle. Jenny attendait devant la porte vitrée, en compagnie de Raidon qui lui préparait un laissez-passer. Elle paraissait bouillir d'impatience, mais aussi très solitaire dans sa façon de se tenir à l'écart des autres. Non pas volontairement, mais plutôt comme si elle ne parvenait pas à se mêler à ces gens.

L'aventure ne serait pas aussi exaltante si elle n'y participait pas, il le savait désormais.

Raidon tendit sa carte à Jenny, et elle franchit la porte en hâte.

— Attends!

Deck la rejoignit à grandes enjambées et posa la main sur son épaule. Il lut du désarroi dans son regard, mais au moins ne le repoussa-t-elle pas. C'était un début.

— J'ai un truc à faire, marmonna-t-elle.

La belle éxcuse ! Elle ne voulait toujours pas lui parler, oui.

— Tu es attendue quelque part ? la taquina-t-il. J'aimerais te montrer quelque chose. Ça te dit ?

Elle jeta un regard presque désespéré vers la porte.

— Non, je…

— C'est important. Accorde-moi dix minutes.

Elle hocha la tête, évitant de le regarder. Il avait fait du beau boulot, vraiment !

Il lui prit la main et l'entraîna jusqu'à un escalier qui menait sur le toit. Ils se tinrent là, seuls au milieu du désert. Le sable scintillait à perte de vue comme s'il était parsemé de diamants. Dans cette région reculée, l'air était presque pur, le ciel de ce bleu idyllique qu'on ne trouve que dans les vieux livres d'images.

Mais Jenny ne s'attarda guère sur le paysage. Elle parcourut le toit en inspectant les lucarnes à travers lesquelles elle apercevait les gens qui s'activaient telles des fourmis, consciente de voir là la révolution en marche.

— Extraordinaire ! murmura-t-elle, et Deck en conçut une fierté sans bornes. C'est vraiment toi qui as construit ça ?

— Non, ce sont eux, mais selon mes plans.

— Je ne comprends toujours pas comment tu peux diffuser la Voix de l'Ombre alors que tu ne sais même pas de qui il s'agit ni d'où elle provient.

— C'est une question de technique, l'important étant d'en faire profiter le monde en forçant toutes les censures possibles et imaginables.

Pensive, elle continua son inspection, puis se retourna soudain vers lui.

— Deck, j'ai quelque chose à te dire. Tu sais que j'ai commis quelques actes répréhensibles, mais…

— Attends !

Brusquement, il avait le sentiment d'être allé trop loin au nom de la révolution, ou juste de ne pas lui avoir assez dit combien il tenait à elle. À moins qu'il n'ait tout simplement peur de ce qu'il risquait d'entendre…

— Laisse-moi te dire d'abord quelque chose. Cette scène de la faille, je l'ai repassée cent fois dans ma tête. Je donnerais tout au monde pour pouvoir remonter le temps et tout recommencer. Je revois sans arrêt ton visage, ta chute, j'entends tes cris. Je ne sais pas… comment te dire à quel point je m'en veux. Jamais je ne me pardonnerai ce qui s'est passé. S'il y avait quelqu'un dont je ne voulais pas mettre la vie en danger, c'était bien toi ; je suis navré de t'avoir entraînée dans cette histoire. C'étaient mes rêves à moi. Moi seul aurais dû prendre des risques. Quand nous en aurons terminé ici, je voudrais que tu acceptes ce que j'aurai à t'offrir et que tu t'en ailles vivre la vie que tu as toujours méritée.

Elle en resta bouche bée. Abasourdie. Elle dut s'appuyer à la citerne.

— Merci, souffla-t-elle, la gorge nouée. Cela signifie beaucoup pour moi.

Il lui caressa la joue.

— Est-ce que cette histoire demeurera à jamais entre nous ? Est-ce que je pourrai un jour réparer le mal que je t'ai fait ? Je sais que je ne mérite pas ta compréhension, mais je voudrais savoir si tu crois que tu pourras me pardonner un jour.

Elle recula.

— Je dois y aller…

Visiblement, elle n'était pas prête à entendre ces mots. Jenny n'était pas du genre à pardonner facilement. Il lui fallait du temps. À moins qu'elle n'en attende davantage de lui.

Il lui tendit la main.

— Je voudrais encore te montrer quelque chose.

— Je t'assure que je dois y aller, répéta-t-elle d'une voix blanche. Je... je suis fatiguée. Je voudrais m'étendre un peu.

Il l'implora du regard.

— Tu ne le regretteras pas, je te le promets.

22

Tandis que Deck la ramenait à l'intérieur du bâtiment, Jenny éprouva un affreux, un insondable sentiment de honte. Soudain, il lui apparaissait clairement que le choix d'opter pour le Parlement ou pour Deck et sa révolution devant lequel elle s'était trouvée n'était en rien différent de celui auquel Deck avait été confronté au bord du ravin.

« Depuis quand est-ce que tu te prends pour la victime de l'année, Jenny ? » s'interrogea-t-elle.

Elle le regarda entrer des données dans un ordinateur. Il lui lança un coup d'œil où l'espoir le disputait à la joie. Comme s'il s'apprêtait à lui offrir un cadeau précieux.

Lui aussi avait dû peser le pour et le contre, elle s'en rendait compte à présent. Il y avait tellement en jeu ! Et voilà qu'elle était maintenant dans une situation identique. Alors comment pouvait-elle se permettre de le juger ? D'exiger plus de lui qu'elle n'exigeait d'elle-même ? Il lui avait présenté ses excuses, et s'en voulait terriblement.

Décidément, ils ne pouvaient jamais se retrouver sans que le monde extérieur vienne bouleverser leur relation.

— Assieds-toi, dit-il en l'installant devant un large écran d'ordinateur.

Il se pencha sur son épaule, martela quelques touches. Une carte du monde apparut, qu'il se mit à fouiller, révélant peu à peu les continents, les pays, les colonies, jusqu'à de minuscules détails tels que l'endroit où elle était née, en UCT. Voilà belle lurette qu'elle avait oublié cette colonie. Elle n'y avait pas passé beaucoup de temps ; ni là ni ailleurs, du reste.

— Maintenant, on va chez toi.

Faisait-il allusion au bidonville de Macao où il l'avait dénichée ?

Il repassa les lieux où elle avait vécu, les petites villes qu'elle avait traversées avec son père. Tout ce dont elle lui avait parlé. Deck avait tout retenu.

Puis une vidéo se déroula sous leurs yeux. Il zooma sur son quartier, à travers les rues grouillantes de monde. Elle sentait presque l'atmosphère ambiante, l'humidité et les odeurs.

Alors il lui prit la main, la posa sur les touches de contrôle, et elle put faire défiler ses échoppes préférées, les coins qu'elle évitait, les ruelles qu'elle connaissait par cœur, et les toits où se posaient et décollaient sans arrêt des hélicoptères.

Elle s'interrompit brusquement, et son sourire s'effaça. Quelle infinie tristesse dans tout cela ! Cette pauvreté, cette misère... depuis combien de temps se débattait-elle dans une vie aussi dure ?

La main de Deck se pressa sur la sienne, et les images défilèrent de nouveau. Elle leva les yeux vers lui.

— On pourrait changer cela, assura-t-il avec un sourire.

Il fit un gros plan sur le vendeur de sandwichs en bordure de la place du marché. Elle reconnut sa petite bouche pincée, son air inquiet. Et cette tristesse. Toujours cette tristesse. Elle était en grande négociation avec lui au moment où cette aventure avait commencé.

Deck avait raison, les choses pourraient s'arranger si chacun y mettait du sien. Encore fallait-il agir ensemble. Et elle s'était toujours sentie si seule, avait toujours eu le sentiment que, quoi qu'elle fasse, sa vie ne saurait s'améliorer. Si quelqu'un s'était attelé à cette tâche plus tôt, elle vivrait déjà mieux. Une révolution comme celle-ci pouvait changer la donne. Il fallait bien qu'elle commence quelque part. Il fallait que quelqu'un se lève et entame la lutte. Et c'était exactement ce que faisaient les Messagers de l'Ombre et d'autres groupes semblables.

Soudain, Jenny se redressa et regarda autour d'elle tous ces gens qui pianotaient sur le clavier de leur ordinateur, les yeux emplis d'espoir.

Au milieu de la salle scintillait une carte du monde dont chaque petite lumière verte indiquait un centre de communication. En rouge apparaissaient les centres filtrés et censurés par leurs gouvernements. En bleu les postes clandestins. Des centaines de milliers de points à travers le monde. Des gens comme Jenny, installés peut-être dans de simples cafés, au milieu d'une population grouillante, et qui avaient finalement trouvé le moyen de changer les choses.

Voilà comment on pouvait enfin reprendre le contrôle de sa vie; voilà comment on empêchait autrui de toujours décider à votre place; voilà comment on cessait de n'être qu'une victime.

Ce n'était pas qu'une simple idée dans la tête de Deck. C'était toute une organisation. Des milliers de gens qui se battaient pour une cause qui en valait la peine. La révolution était en route, et Jenny voulait y participer. S'il n'était pas trop tard.

Elle se leva si abruptement qu'elle faillit renverser sa chaise.

— Il faut absolument que j'y aille !

Deck la dévisagea un instant.

— Écoute, fit-il, je tiens beaucoup à ce que tu sois là quand on va diffuser le message de la Voix de la Liberté. Tu as ta carte d'accès maintenant. Tu fais partie de l'équipe.

Partie de l'équipe. Cela faisait plaisir à entendre.

— Je vais voir, répondit-elle hâtivement. Mais accorde-moi encore un peu de temps… pour réfléchir à tout ça.

Il paraissait tellement déçu. Mais qu'est-ce que ce serait si elle ne remettait pas cette puce à sa place avant la diffusion ?

— Merci, ajouta-t-elle.

Il lui caressa la joue.

— Je t'assure que si tu entends la Voix de la Liberté ce soir, tu comprendras ce que signifie faire la révolution.

Elle sourit et fila vers la porte.

Elle avait déjà compris. Elle espérait juste qu'il n'était pas trop tard.

23

Jenny remonta le couloir en direction du hall d'entrée, puis bifurqua vers la salle des données. Elle avait envie de se jeter du haut du toit de la station. Jamais elle n'aurait imaginé que Deck puisse s'ouvrir à elle avec une telle franchise, une telle humilité, la priant de lui pardonner, alors qu'elle avait elle-même tant à se faire pardonner... Ça la rendait malade. Si elle parvenait à remettre cette puce en place à temps, elle se jura de faire confiance à Deck jusqu'à la fin de ses jours.

Elle venait d'ouvrir la porte du local à l'aide de sa nouvelle carte d'accès quand elle tomba nez à nez avec un gardien en train de passer la serpillière. Ce dernier sursauta.

— Salut! lança-t-elle, joviale. Désolée de vous avoir surpris.

— Salut, répondit-il. Vous êtes arrivée avec les nouveaux Messagers de l'Ombre, c'est ça?

Elle lui montra son laissez-passer.

— Oui. Deck m'a demandé d'aller récupérer un truc.

— Quel truc?

— Un machin qui a dû tomber par terre, et que je suis censée remettre en place.

— Ah, d'accord! Allez-y.

Là-dessus, il se remit à frotter le sol consciencieusement.

Mieux valait agir ouvertement pour ne pas éveiller ses soupçons, décida-t-elle. Elle ouvrit quelques tiroirs, et finit par dégoter un fil de fer qu'elle tordit pour s'en servir comme d'un hameçon.

Elle n'atteignit pas immédiatement sa cible. À quatre pattes, elle fit plusieurs tentatives en priant pour que cette fichue puce n'ait pas été amochée. Enfin, elle parvint à attirer la boîte vers elle tout doucement.

Elle l'ouvrit, prit la puce entre ses doigts et la contempla.

Elle jeta un coup d'œil au gardien par-dessus son éaule.

— C'est bon ? demanda-t-il.

— C'est bon.

Maintenant, ne pas se tromper. Elle se repassa mentalement chacun de ses gestes, puis tâcha de les reproduire aussi fidèlement que possible. Il ne lui fallut pas longtemps pour remettre la puce à sa place. Elle dut juste forcer un peu pour la faire entrer dans son emplacement, et ce fut tout.

Elle revissa le panneau et s'autorisa enfin un soupir de soulagement.

— C'est fini ! annonça-t-elle. On se revoit bientôt, je crois ?

— Oui, pour la diffusion.

Le jeune homme la salua en effleurant sa casquette, et elle sortit comme si de rien n'était.

Enfin ! C'était fait. Elle baissa les yeux sur ses mains tremblantes. Non, pas tout à fait encore. Il lui restait à trouver Quinn pour lui proposer un marché. Ils pouvaient lui offrir ce que Deck lui avait proposé à elle.

Encore fallait-il d'abord raconter tout à celui-ci. Ça se passerait sûrement très bien, mais il lui faudrait néanmoins expliquer ce qui s'était produit, et ce qu'elle avait maintenant en tête.

Elle s'arrêta aux toilettes pour se rafraîchir le visage, mais préféra éviter de se regarder dans la glace. Après quoi, elle retourna à la salle de contrôle où s'était rassemblé tout le personnel.

La tension était palpable. Pour un peu, on se serait cru dans l'une de ces bases de lancement de fusées comme il en existait au xxe siècle. Tous les regards étaient rivés à un panneau à l'ancienne accroché au mur, pas encore allumé, mais où on lisait cette expression d'autrefois : À L'ANTENNE.

Si Quinn n'était nulle part en vue, Deck quant à lui semblait savourer le moment, et quand leurs regards se croisèrent, il lui adressa un large sourire. Qu'elle ne méritait certainement pas.

Une lumière rouge scintilla. Le responsable des transmissions se pencha sur son micro et entama le compte à rebours :

— Dix... neuf... huit... sept... six... cinq... quatre... trois... deux... un...

Une pause, et la lumière passa au vert.

— On est en ligne. Prêts pour la transmission.

Un murmure parcourut la foule. Deck contemplait la carte du monde avec une ferveur de saint.

— Comptez dix secondes dès qu'on a la connexion, annonça-t-il d'une voix parfaitement calme, qu'on puisse vérifier les pare-feu et les brouilleurs.

— D'accord. Circuits ouverts.

Il y eut quelques crachotements. Le panneau À L'ANTENNE se mit à clignoter faiblement, puis s'alluma franchement. Sur la carte venait de s'afficher un réseau de lignes blanches.

N'oublions pas que la liberté, c'est le pouvoir. Une nation garante des libertés est une nation puissante. Ne vous laissez pas abuser par ceux qui prétendent vous tenir en leur pouvoir...

Une immense acclamation retentit dans la salle qui arracha des frissons à Jenny. Ce ne pouvait être que la Voix de la Liberté. Et ses paroles emplissaient la jeune femme de leur force.

Levez-vous et préparez-vous, car quiconque renonce à sa liberté pour un peu de sécurité ne mérite ni liberté ni sécurité...

Elle avait l'impression qui elle s'adressait directement à elle. Elle se demandait si Quinn l'écoutait lui aussi, quelque part, s'il n'était pas assez défoncé pour se laisser émouvoir, comme elle.

La tyrannie, comme l'enfer, n'est pas facile à vaincre. Nous avons cependant de quoi nous consoler: plus dur est le conflit, plus glorieux est le triomphe. Ce que nous avons obtenu trop facilement, nous l'estimons moins; il faut que le coût des choses soit élevé pour que nous leur accordions de la valeur...

Jamais elle n'avait éprouvé quoi que ce soit de semblable. Cette impression d'être partie prenante de quelque chose de plus grand que soi. De faire partie d'un groupe... elle n'avait jamais connu ça.

Autour d'elle, les gens criaient, riaient, pleuraient. Quelqu'un avait mis de la musique et l'allégresse semblait à son comble.

Elle reconnaissait certaines personnes, anciens gardes du palais, anciennes servantes, ex-prostituées, ex-drogués, ou simples particuliers qui rêvaient d'une vie meilleure. Un élan de joie la parcourut.

Sa vie défila devant ses yeux à vive allure et elle courut vers Deck, debout sur son estrade, qui les dominait tous mais ne regardait qu'elle.

Bousculant ses derniers partisans, elle se jeta dans ses bras et il l'étreignit, puis l'entraîna sans un mot hors de la salle, vers les quartiers d'habitation.

Il s'immobilisa devant une porte, fouilla dans sa poche avec fièvre et finit par sortir sa carte d'accès qu'il introduisit dans la serrure. Celle-ci s'ouvrit sur une chambre où trônait un grand lit. Deck souleva Jenny dans ses bras et l'y déposa avant de s'allonger sur elle.

D'un coup de reins, Jenny roula sur lui et entreprit de le débarrasser de sa chemise. Elle caressa son torse nu, l'embrassa, le goûta, le mordit avec avidité.

Visiblement, il était prêt. Et pressé. Comme elle. Il bascula de nouveau sur elle, lui bloqua les bras au-dessus de la tête.

— Pas facile de te mater, ma belle !

En guise de réponse, elle cambra le dos, pressant son ventre contre son érection.

Il laissa échapper un juron et entreprit de lui ôter ses vêtements, les arrachant littéralement, les envoyant voler à travers la pièce. Il fit de même avec les siens. En quelques secondes ils étaient nus. Non plus dans la nuit fraîche d'un désert, mais en pleine lumière.

— Jenny, murmura-t-il d'une voix rauque, j'ai l'impression que ta place a toujours été ici, sous moi...

Elle eut juste le temps de soupirer d'aise avant qu'il ne s'empare de sa bouche pour un baiser brûlant de passion. Son corps sur elle, sa chaleur, son poids. Tout était si parfait...

— Il faut que je te dise quelque chose, souffla-t-elle.

— Ça ne m'intéresse pas, sauf s'il s'agit de me faire part de tes désirs.

S'esclaffant, elle tenta de le repousser.

— Je suis sérieuse !

Il la fit taire d'un baiser, puis d'un autre, et de dizaines d'autres sur tout le corps. Elle devait lutter pour se concentrer.

— Deck...

— Chut. Laisse-toi faire.

Il la tenait aux hanches, à présent, et la caressait de la langue, descendant le long de son ventre. Lorsqu'il pressa sa bouche entre ses cuisses, elle gémit doucement.

Les paupières closes, elle s'abandonna, creusa les reins, l'appelant silencieusement en elle, savourant l'instant.

Et tandis que son désir de lui culminait, il la pénétra en douceur, et elle l'accueillit avec un cri de bonheur.

Il se retira presque entièrement, puis revint, plus profond encore. Les yeux dans les yeux, ils commencèrent à onduler en rythme, doucement d'abord, puis plus vite, plus fort, jusqu'à atteindre l'infernale cadence de l'ivresse.

Une lumière bleue s'alluma au-dessus de la porte, puis se mit à clignoter. Flottant dans un océan de plaisir, Deck ne la remarqua pas. Son communicateur bipa, mais cela ne fit apparemment que le galvaniser. Il cria le nom de Jenny, tout en continuant à aller et venir furieusement en elle. La tête enfouie au creux de son épaule, elle tentait de tenir à distance la peur qui s'était soudain emparée d'elle.

Il parut percevoir enfin les signaux d'alarme.

— Pas maintenant! maugréa-t-il en retombant sur elle.

C'est alors qu'il vit la lumière bleue. Il se figea.

— Bon sang, qu'est-ce qui se passe?

Elle ne le savait que trop. « Pourtant, je l'ai remise en place! J'en suis sûre! » se répétait-elle comme une litanie. La gorge nouée, elle frissonna tandis qu'il se détachait d'elle pour aller répondre.

Il était debout, baigné de transpiration, les yeux étincelants dans l'étrange lumière qui palpitait au-dessus de lui. Elle le dévorait des yeux, pressentant la fin de leur histoire à peine ébauchée.

— Raidon dit qu'il y aurait eu une sorte d'effraction...

Il semblait décontenancé.

— De quoi? demanda-t-elle sans conviction.

— Apparemment, on a touché au brouilleur, expliqua-t-il en se rhabillant à la hâte. Les autres craignent que le signal ait été diffusé assez longtemps pour nous faire repérer. Auquel cas, on peut s'attendre que toutes les forces antirévolutionnaires du monde nous fondent dessus. Désolé, mais il faut que je retourne à la salle de contrôle.

Jenny se sentit défaillir.

— Mais je l'ai réparé. J'ai remis la puce à sa place.

Deck fit volte-face.

— Qu'est-ce que tu as dit ?

Son regard était froid, soudain.

Bien qu'elle ait commencé à s'habiller, elle ne s'était jamais sentie aussi nue de sa vie.

24

— C'était toi?

Son visage avait pris l'apparence d'un masque d'une dureté inouïe. Jamais elle ne lui avait vu une expression pareille. Elle ouvrit la bouche pour se défendre, mais aucun son n'en sortit.

— C'était toi? répéta-t-il, les dents serrées.

Il la saisit par les épaules.

— Qu'est-ce que tu as *fait*? Tu as saboté le système?

— Non, enfin, oui... Mais je... Ce n'est pas ainsi que...

— Ce n'est pas ainsi que quoi?

Il lui faisait mal, mais elle n'essayait même pas de se dégager. Elle voulait souffrir. Comme si cela pouvait racheter sa faute.

— Il n'est pas trop tard, parvint-elle enfin à articuler. Où est Quinn? On va passer un accord avec lui et tout sera réglé. On lui donnera la clef de ton appartement secret, de l'argent, un visa et le... le...

Elle s'interrompit. Elle se trouvait tellement pathétique.

— Quinn est parti, siffla Deck. Par la navette.

— Quoi?

— Tu m'as très bien entendu.

Elle le repoussa, enfila son gilet pare-balles.

— Il faut que je le rattrape!

Deck la dévisageait, l'air de se demander dans quel camp elle était.

— Il prétendait que tu voulais te reposer. Mais tu peux prendre la prochaine navette.

Chancelante, elle s'adossa au mur. Elle était responsable de ce désastre et devait trouver le moyen d'arrêter la machine. Quinn n'était pas différent des autres habitants de Newgate. On pouvait l'acheter, il suffisait d'y mettre le prix.

Cela dit, en tant que membre du Parlement, il possédait déjà presque tout ce qu'il désirait... La tête entre les mains, elle laissa échapper un soupir de désespoir.

Deck termina de se rhabiller, ouvrit la porte et franchit le seuil.

— Deck !

— Pas le temps, lâcha-t-il avant de claquer le battant derrière lui.

Il aurait pu aussi bien lui envoyer son poing dans la figure.

Rapidement, elle enfila slip, pantalon et bottes, et se précipita à sa suite.

— Écoute, Deck, je peux encore tout arranger. Je croyais l'avoir déjà fait, mais Quinn a dû... Il a dû...

Elle se tut, car Deck venait de se retourner.

— Qu'est-ce que Quinn vient faire là-dedans ?

— J'avais quelque chose à te dire.

Il posa sur elle un regard méfiant, comme s'il savait déjà que, quoi qu'elle puisse raconter, rien entre eux ne serait jamais plus comme avant.

— J'ai menti, Deck. Ou plutôt, je ne t'ai pas tout révélé. J'avais des antécédents avec le Parlement. Quinn me mettait la pression, et m'a forcée à ôter cette puce. Je dois reconnaître que, durant un moment, j'ai eu des doutes quant à ce que je devais faire. Mais je te jure que je suis retournée mettre la puce à sa place. Il n'aurait rien dû se passer, ce n'est pas normal... Maintenant, il faut aller trouver Quinn pour lui proposer un marché. Parce que dès qu'il arrivera à Newgate, il mettra le Parlement au courant, et ils te renverront à Kyber ou à l'UCT. Et tout ça, conclut-elle avec un geste du bras, ce sera fini.

Immobile, il la scruta. Puis il tendit la main, et elle crut qu'il allait la frapper. Mais il se contenta de l'agripper par la nuque et de la tirer vers lui, si près qu'elle sentit son souffle dans ses cheveux tandis qu'il grommelait :

— Quelle sotte ! Dès qu'on enlève la puce, elle se désactive d'office, car elle contient des informations qui pourraient révéler l'endroit d'où la Voix de l'Ombre émet. Ce qui signifie que lorsqu'on a fait les essais, on a travaillé sans brouilleur. Alors... si tu peux te targuer d'avoir empêché le Parlement et le reste du monde de nous utiliser pour localiser la Voix, tu as en même temps divulgué l'emplacement de cette station. En supposant qu'on ait de la chance, et que personne n'ait essayé de pirater le système, il n'en demeure pas moins que lord Quinn est en route pour le Parlement, prêt à faire son rapport sur ce qui se passe ici. C'est le personnel qui est maintenant en danger de mort.

— Je ne savais pas, souffla Jenny. Je n'aurais pas cru qu'il était déjà trop tard. J'étais sûre d'avoir tout arrangé. Ça ne t'est jamais arrivé de mettre en branle un truc que tu es ensuite incapable d'arrêter ? Un truc pour lequel tu serais prêt à donner ta vie pour revenir en arrière ?

Deck s'était remis en marche. Il s'arrêta abruptement et lui fit face.

— Si, répondit-il dans un souffle. Lorsque je t'ai laissée tomber. Je me vois encore en train d'essayer de te rattraper alors que Raidon me demandait de songer à la révolution d'abord, et, Dieu me pardonne, cette hésitation que j'ai eue l'espace de quelques secondes...

Jenny n'osait parler de crainte de tout gâcher par une parole malheureuse. De réduire à néant cet infime espoir que, peut-être, Deck ne pensait pas que tout était irrémédiablement perdu.

— Tout cela n'est pas arrivé par hasard, Jenny, soupira-t-il. Ce n'est qu'un épisode dans une longue chaîne d'événements qui remontent à des années. Je ne t'ai pas sauvée de Newgate, la première fois, parce que je savais que c'était là que je bâtirais ma station. J'avais besoin de toi sur place pour m'aider. Et je sais que tu m'en as voulu à mort. Puis j'ai envoyé Raidon te chercher afin que nous puissions conclure ce marché qui nous a conduits jusqu'ici. De nouveau, je t'ai laissée tomber, littéralement cette fois ! Tu m'en as encore voulu à mort. À présent, je paie pour cette haine, méritée, que j'ai suscitée en toi.

— Je ne te hais pas.

— Il faut en finir, toi et moi, Jenny. On ne peut pas continuer ainsi.

— Si, murmura-t-elle. Parce que maintenant, je suis avec toi. J'ai compris le pourquoi de cette révolution. « Levez-vous et préparez-vous, car quiconque renonce à sa liberté pour un peu de sécurité ne mérite ni liberté ni sécurité. » C'est ce qu'a dit la Voix de l'Ombre, et soudain, tout s'est éclairé. Je ne voyais pas en quoi je pouvais être utile à qui que ce soit, alors que je ne m'en sortais même pas avec ma propre vie. Ensemble, en revanche… Je suis prête à me tenir à tes côtés et à lutter pour la révolution. Pour la liberté. Pour toi, je suis prête à…

Il la considérait avec une telle expression qu'elle s'interrompit.

— Tu ne me crois pas ? Ou c'est *en moi* que tu ne crois pas ?

Une larme roula sur sa joue, que Deck recueillit du bout du doigt et porta à ses lèvres.

— On récolte ce qu'on a semé, Jenny. On ne peut pas se faire totalement confiance… Nous sommes l'un et l'autre incapables d'abaisser notre garde et de s'ouvrir complètement. Quoi que tu en dises, tu ne te sacrifieras jamais pour moi, pas plus que je ne me sacrifierai pour toi. Ma priorité, c'est la révolution. Tu avais raison. Que dire de plus ?

Un pesant silence suivit cette déclaration. Cette fois, Jenny ne trouva pas les mots pour colmater la brèche.

Deck lui-même semblait accablé, comme s'il regrettait déjà ses paroles cruelles. Il fit un pas en arrière, deux, puis pivota, s'élança dans le corridor et disparut.

La déception qu'elle avait perçue dans sa voix lui fit atrocement mal. Ce qui était fait était fait, elle ne pouvait revenir en arrière. Jamais, cependant, elle ne se serait crue capable de croire en cette révolution, de croire en Deck lui-même !

Quelle ironie ! Elle avait fini par croire en quelque chose au moment où elle avait tout bousillé. Mais elle n'allait pas s'avouer vaincue. Oh, non ! Elle ne s'avouait jamais vaincue. Elle trouverait le moyen de réparer. Pas seulement à cause de la révolution, mais aussi parce qu'elle avait la certitude que Deck l'aimait. Et cela seul justifiait de continuer à se battre.

— Cette fois, annonça Deck à ceux qu'il avait choisis pour l'accompagner, nous allons voyager léger, et vite. Nous prendrons des hybrides de chevaux, et je veux un éclaireur ; quelqu'un qui connaisse les routes commerciales comme sa poche.

Il s'approcha de Raidon qui était affreusement pâle.

— Tu resteras ici. J'irai seul.

— Je viens avec vous, rétorqua le garde du corps.

Lui posant la main sur l'épaule, Deck articula avec émotion :

— Il est temps que tu suives ta propre voie. Tu es capable de bien plus que de me servir.

Raidon ne cilla pas.

— Je travaille pour vous, monsieur. C'est tout ce que je sais.

— Deck, pas « monsieur ».

— Puis-je faire quoi que ce soit pour vous, monsieur ? s'entêta Raidon.

Deck haussa les épaules, puis baissa les yeux.

— Non. Tu ne peux rien faire pour moi en l'occurrence, répondit-il avec amertume. C'est juste que... les gens comptent autant que les idées. Plus, parfois. C'est une notion simple, et cependant, je ne l'avais pas comprise. Pas vraiment.

— Vous parlez de Jenny, fit Raidon d'un ton neutre. Vous l'aimez.

— Bien sûr que je l'aime. Mais il est trop tard...

25

Curieuse sensation que de franchir à nouveau les grilles du Parlement! Et encore plus curieux que personne ne les arrête. Ils demandèrent à rencontrer Quinn et, bizarrement, ce dernier accepta de les recevoir. On n'exigea d'eux qu'une chose: qu'ils laissent leurs armes à l'entrée. Précédés d'un domestique, ils gravirent un large escalier recouvert d'un tapis de velours rouge élimé, empruntèrent un long corridor. Deck marchait d'un pas mesuré, tandis que Jenny semblait bondir tant elle était pressée.

Ils n'avaient pratiquement pas échangé un mot durant le voyage, Deck ayant passé la plupart du temps à réfléchir à ce que Jenny lui avait raconté au sujet de Quinn et de leur expédition pour récupérer la puce.

La jeune femme achevait de se ronger les ongles quand le domestique les fit entrer dans une petite chambre à coucher à l'ameublement spartiate. Quelques objets étaient disséminés ici ou là, comme dans un décor de théâtre: un pichet de porcelaine ébréché avec sa bassine; des jumelles de théâtre; une cravache au joli manche d'ivoire; deux tisonniers ciselés devant la cheminée vide. Et au-dessus de la porte, un écran hors d'âge destiné à avertir Quinn de la présence de tout visiteur.

Vêtu d'une élégante veste de satin rayé fuchsia et vert étonnamment fraîche, l'occupant des lieux se tenait devant la fenêtre, jouant paresseusement avec sa chaîne de montre.

— Lord Quinn, fit Deck en s'inclinant solennellement.

— Vous en avez mis, du temps, remarqua le dandy sans se retourner.

Il pêcha dans sa poche un bâton d'opium et en ôta l'enveloppe à l'aide d'un canif. Il fit une pause pour humer la drogue comme il l'aurait fait d'un cigare.

— Nous nous sommes demandé ce qu'un membre de la Maison des Han – ou plutôt un ex-membre – pouvait bien venir faire à Newgate, reprit-il. Le frère du prince Kyber, rien que cela ! Étiez-vous venu en tant qu'*ennemi* ou en tant qu'*émissaire* ?

Deck se garda de répondre de peur qu'il ne perde le fil de ses idées.

Quinn pivota enfin et le gratifia d'un long regard pensif. Il était hagard et paraissait à bout de forces.

— Peu importe, ce n'était qu'une question de pure rhétorique. Si vous étiez un ennemi, en tant que prince bâtard accusé à tort – car vous avez été accusé à tort, n'est-ce pas ? Je ne m'en souviens jamais. Mais là n'est pas le problème –, donc, en tant que prince bâtard emprisonné et torturé sur ordre de votre frère, vous pourriez chercher à vous venger. Votre propre frère – oh, pardonnez moi ! Je devrais dire votre demi-frère – vous a privé de votre père, de votre titre, de votre dignité ainsi que de votre destin, non ?

— Vous exagérez un peu, répondit Deck d'un air crispé.

Cet homme avait le don de le mettre hors de lui.

Quinn acquiesça d'un léger hochement de tête, posa le canif et l'opium sur un guéridon et, après avoir fait signe à ses visiteurs de s'asseoir sur le lit, prit place dans l'unique fauteuil.

— Peut-être, admit-il. Mais le fait est que vous avez perdu votre position officielle dans la Maison des Han. Quelle plus douce revanche que de renverser la monarchie en vous joignant au plus puissant mouvement révolutionnaire qu'on ait vu depuis un millier d'années, je vous le demande ?

Il se tut un instant avant d'enchaîner:

— Mais peut-être ne s'agit-il que d'une ruse! Peut-être que les rumeurs provenant de North Han City sont fausses. Ou, comme vous le dites vous-même, exagérées? Et si le but était de vous faire passer pour un ennemi de la Maison des Han? Ainsi seriez-vous le meilleur choix possible pour servir d'émissaire à ceux que d'aucuns prendraient pour vos ennemis. Et si Kyber ne désirait que récupérer ses anciennes possessions, et que vous n'étiez venu à Newgate que pour en étudier la possibilité? On peut acheter tout le monde. Nous étions certains que vous aviez un prix, comme chacun d'entre nous. Et qui pourrait mieux le connaître que votre propre frère?

Deck s'efforçait de ne pas réagir, de ne surtout rien laisser paraître.

— Je dois dire, mon ami, que vous m'avez surpris, impressionné. J'aurais juré que la deuxième hypothèse était la bonne. Comme nous tous, d'ailleurs. J'étais mandaté auprès de vous pour tâcher de déterminer ce que vous aviez effectivement derrière la tête. Jamais je ne me serais attendu à vous entendre dire la vérité, à ce que vous vous révéliez un authentique Messager de l'Ombre.

— Quinn, je ne marche plus! s'écria soudain Jenny en se jetant à ses pieds.

Il la considéra d'un air stupéfait.

— Ce n'est pas possible, ma fille.

— Aidez-nous à réussir notre mission! l'implora-t-elle. Vous avez vu ce qui se passait. Je sais que vous avez entendu la Voix de l'Ombre, comme nous tous. Son discours m'a touchée, et vous aussi, j'en suis certaine. Il y a beaucoup de gens bien, là-bas. Leur cause est juste.

Deck n'en croyait pas ses oreilles. Jenny qui tentait de convaincre Quinn au nom de la révolution? Jenny qui disait «nous» en parlant des combattants?

— Des gens bien ? ricana le dandy. Mais nous sommes tous des gens bien ! Nous méritons plus que nous ne recevons. Cependant, il n'est pas donné à chacun de tout avoir. Il n'y aurait pas assez pour tout le monde.

— Je vous connais, Quinn. Vous êtes piégé, comme moi. Vous avez là une chance de faire quelque chose de bien, de donner un sens à votre vie. Aidez-moi !

Tandis qu'elle lui agrippait le poignet, le dandy glissa sa main libre vers son canif d'un air absent.

Deck tenta de s'interposer entre eux, d'attirer l'attention de Quinn.

— Quel est votre souhait le plus cher en ce bas monde, lord Quinn ? lança-t-il. Vous avez dit qu'il n'y en aurait pas assez pour tout le monde. Pas assez de quoi ? Que désirez-vous ? Pas pour le Parlement, pour vous-même. Peut-être pourrais-je vous le donner.

— Le Parlement peut déjà tout me donner sauf la seule chose qui me tienne vraiment à cœur : en finir avec cette maudite dépendance. Et cela, mon cher, c'est impossible.

Quinn détacha la main de Jenny de son poignet et commença à couper des rondelles d'opium.

— Au fait, reprit-il, vous êtes-vous rendu compte que je n'ai cessé de vous exposer à ce produit tout le temps qu'a duré notre voyage ? Il ne vous manque qu'une bonne dose pour vous retrouver dans le même état que moi.

À ces mots, Deck éclata d'un rire nerveux et sentit soudain sa hargne le quitter, remplacée par la crainte que l'homme n'ait dit que la stricte vérité.

— Le temps que j'arrive ici, poursuivit Quinn, j'étais dans un tel état de manque que j'ai cru mourir avant de pouvoir rapporter à quiconque un mot de mon équipée. Et je dois avouer que j'ai vécu la plus étrange des expériences en découvrant de mes propres yeux Newgate, le club du Parlement, ses membres et le reste... C'était horrible, absolument horrible.

— Leur avez-vous raconté quelque chose? demanda Deck entre ses dents.

Pour un peu, ce type lui aurait inspiré... Seigneur! était-ce de la sympathie?

— Évidemment. Je leur ai tout raconté!

Jenny recula d'effroi. Deck se leva d'un bond. Oui, c'était bien de la sympathie qu'il éprouvait. Ainsi que de la pitié pour cet homme qui méritait une balle entre les deux yeux.

Celui-ci ne semblait pourtant pas tirer une grande satisfaction de sa victoire. Sans quitter son canif du regard, il expliqua d'un ton posé:

— Je leur ai tout dit sur vous, Jenny. Vous, l'amie du Parlement. Et j'ai le regret de vous informer qu'ils n'entendent pas respecter les termes de notre accord. Si vous êtes libérée de votre dette pour avoir tué l'un des nôtres, il ne faudra rien espérer de plus.

Les yeux rivés au sol, Deck se creusait la cervelle, cherchant une solution, une espèce de réponse à tout cela:

— Lord Quinn, si le Parlement est tellement opposé à cette révolution, pourquoi n'êtes-vous pas resté plus longtemps auprès de nous, histoire de collecter davantage d'informations, de tenter d'acheter mes compagnons, de leur soutirer un plan, de prendre des photos, que sais-je encore? Quelque chose ne colle pas, aussi permettez-moi de vous demander de nouveau: pourquoi nous avez-vous accompagnés?

— Le Parlement se soucie de votre révolution, bien entendu. Nous avons l'œil sur tout soulèvement potentiel, sans toutefois en conclure automatiquement qu'un changement de politique serait forcément une mauvaise chose – comme vous le savez, nous considérons avant tout nos propres avantages.

— Dans ce cas, pourquoi m'avez-vous poussée à saboter le système, avant de partir comme si votre mission était accomplie? s'étonna Jenny.

— Parce que je savais que ce serait le meilleur moyen de détruire les derniers liens qui pouvaient subsister entre vous et Sa Seigneurie. Vous aviez sur lui une influence qui allait à l'encontre des objectifs du Parlement.

— Qui sont ? s'enquit Deck avec impatience.

— Vous ne devinez donc pas ? Je n'avais pas pour mission d'arrêter la révolution, mais de vous rallier, vous, le prince D'ekkar Han Valoren, à notre Parlement. Nous tenons à vous avoir de notre côté, comme l'un des nôtres, afin de pouvoir vous utiliser comme une force d'appui. Que vous le vouliez ou non, vous êtes puissant et portez un nom prestigieux. La révolution est inévitable. Vous l'avez dit vous-même. Nous nous sommes tournés vers un lointain passé dans l'espoir d'assurer notre survie, mais le monde change, et le seul moyen d'obtenir le pouvoir et de le garder reste encore de crier plus fort et de frapper plus dur que les autres. Vous avez la capacité de devenir, disons notre atout maître. En tant qu'ancien membre de la Maison des Han, vous ne pourriez que nous assurer la reconnaissance des autres puissances mondiales.

— Jamais il ne travaillera pour vous, remarqua Jenny en le scrutant avec intensité.

Quinn eut un lent sourire.

— Pas de son propre chef, je vous l'accorde.

— Tu as compris ? demanda-t-elle à Deck. Il voulait juste te rallier au Parlement. Cette première dose qu'ils t'ont inoculée était censée mettre en branle la machine de la dépendance. Après quoi, il lui suffisait de te souffler de la fumée en plein visage, d'en imprégner tes vêtements...

Quinn dirigea une télécommande vers son écran, remplaçant la vue du corridor par celle du vestibule du club où se pressaient les membres du Parlement en tenue de gala.

— Je dois vous escorter jusqu'au rez-de-chaussée pour le final, annonça-t-il. Ainsi, j'aurai achevé ma mission.

Instinctivement, Jenny porta la main à son holster vide.

Ce qui n'échappa pas au dandy.

— À quoi servirait de me tuer, désormais ? Vous savez bien que je suis déjà à demi mort. J'ai connu mon heure de gloire en leur relatant ma petite expédition. Je me suis soudain senti tellement important !

Dans un éclat de rire guttural, il se tourna vers Deck.

— Moi, lord Quinn, fils cadet inutile, mouton noir de la Maison des Kobayashi, j'ai maté la révolution près de Newgate. Et savez-vous ce que j'ai éprouvé ? Pour la première fois de ma vie, j'ai compris le sens du mot « utile ». Et savez-vous ce que j'ai découvert ? Que cela pouvait agir comme une drogue. Que lorsqu'on y a goûté, on ne peut plus s'en passer. Or, la seconde d'après...

Il regarda devant lui, l'œil vide.

— Vous n'êtes de nouveau plus rien. « Merci beaucoup, lord Quinn. C'est bien, lord Quinn. Vous pouvez disposer, lord Quinn. Nous nous occupons de tout à présent, lord Quinn. » Mon cher Valoren, contrairement à Jenny, vous n'avez aucune idée de ce que c'est que de n'exercer aucun contrôle sur sa propre existence. Alors ne la jugez pas trop durement.

Il se remit à couper son pain d'opium.

— C'est ce qui m'a le plus marqué, voyez-vous, après la réunion. Kyber et le Parlement ne sont que les deux faces d'une même pièce. Quelqu'un d'autre tire les ficelles. Ce qui me frappe, ce sont les perspectives qu'offre votre révolution. Perspectives que nul ne saurait acheter, à commencer, oserais-je le dire, par la liberté.

Deck avait de plus en plus l'impression que la situation lui échappait. Comme si un alternateur régissait soudain leurs vies, et que le pouvoir reposait en ce moment entre les mains de Quinn.

— J'aimerais que vous réfléchissiez, maintenant, lui dit-il pourtant. Est-ce qu'il n'y aurait pas quelque chose à faire tout de suite ? Même si ça vous semble difficile. Est-ce qu'on peut intervenir d'une façon ou d'une autre pour changer le cours des choses ? Tout ce qu'il sera en mon pouvoir de vous accorder, vous l'aurez, je vous le promets.

Quinn regarda Jenny.

— « La tyrannie, comme l'enfer, n'est pas facile à vaincre. Nous avons cependant de quoi nous consoler : plus dur est le conflit, plus glorieux est le triomphe. Ce que nous avons obtenu trop facilement, nous l'estimons moins ; il faut que le coût des choses soit élevé pour que nous leur accordions de la valeur… »

— Alors vous avez entendu ! s'exclama-t-elle.

— Je ne suis ni un combattant ni un pion. J'espère sincèrement que vous remporterez la victoire.

Sur ce, il baisa la main de la jeune femme avant de reprendre à l'adresse de Deck :

— Ce fut un plaisir. À présent, si vous voulez bien m'excuser…

Il n'acheva pas sa phrase.

Avec un frémissement d'horreur, Deck le vit enfourner une poignée de rondelles d'opium qu'il mâcha et avala en hâte.

— On peut vaincre certaines choses, assura Quinn avec un sourire triste. Mais pas toutes. Au moins pourrai-je me targuer d'avoir été le maître de ma destinée en dernière extrémité. Ce n'est pas moi qui vous administrerai la dose décisive.

Les paupières lourdes, les yeux vitreux, il s'adossa à son fauteuil.

— Quinn ? s'écria Jenny. Quinn !

Ce dernier ne répondit pas. Il contemplait la chambre sans plus la voir, l'air béat, la respiration de plus en plus courte, jusqu'à cesser complètement.

Deck s'agenouilla devant lui, lui tapa les joues à plusieurs reprises, presque désespérément.

— Lord Quinn? Nous allons trouver une solution. On peut toujours s'entendre d'une façon ou d'une autre. Il n'est pas trop tard.

— Deck, arrête, intervint Jenny. C'est fini. Il vient de se griller la cervelle, à sa façon.

Deck ferma les yeux. Il n'avait aucune envie de s'apitoyer sur cet homme – et à vrai dire, ce qui le bouleversait, c'était que cela aurait pu lui arriver, à lui, à sa sortie de prison, lorsqu'il avait cru pouvoir oublier ses tourments dans la boisson et la drogue... Il ne les avait cependant pas laissé le consumer, et il avait eu Raidon pour l'aider à se relever.

Mais cela aurait pu lui arriver. Il aurait pu être Quinn et vouloir mourir parce que, parvenu à un certain degré de souffrance, rien ne semble plus doux que la mort.

— Deck, souffla Jenny en le tirant par la manche. Il faut qu'on fiche le camp d'ici. Sur-le-champ!

26

Jenny se rua vers la fenêtre et constata, avec un sursaut d'angoisse, que la chambre du dandy était située à l'extrémité du bâtiment, à proximité immédiate de la haute muraille de ciment.

Son marché avec le Parlement ? Terminé. Son marché avec Deck ? Terminé. En même temps que toute chance de passer sa vie avec lui. Elle lui jeta un coup d'œil par-dessus son épaule. Il était toujours agenouillé devant Quinn, l'air incrédule. Elle ne donnait pas cher de sa peau s'ils ne fuyaient pas sur-le-champ.

Sur le moniteur, elle aperçut les parlementaires qui se mettaient en marche par petits groupes, sans cesser de discuter…

— Deck… On est mal.

Il ferma les yeux de Quinn, se leva et prit une profonde inspiration. Il n'avait pas l'air en grande forme.

— Oui ? Qu'est-ce qu'il y a ? fit-il, s'efforçant visiblement de maîtriser son émotion.

— On se casse, répondit-elle avec un sourire forcé. Il va falloir sauter par-dessus… euh… les douves, si tu vois ce que je veux dire, et descendre le mur en rappel.

Il n'émit aucune objection, se contentant de demander :

— On a le matériel approprié ?

Elle fouilla dans son sac.

— Honnêtement, j'aurais aimé pouvoir te dire que j'avais une corde et deux paires de couteaux de bottes, mais je n'ai qu'une lame dans ma chaussure droite, ainsi que les gantelets, ce qui ne nous servirait à rien vu que le mur est en ciment. Et de ton côté, qu'as-tu ?

Il fouilla dans les diverses poches de sa veste, haussa les épaules, puis pointa le doigt vers la fenêtre.

— Les rideaux ! Il y a de quoi se fabriquer une corde suffisamment longue… Il y a aussi les tisonniers. S'ils ne sont pas trop lourds…

De nouveau, elle lança un coup d'œil à l'écran. Les membres du Parlement gravissaient l'escalier.

— On y va !

Tandis que Deck s'attaquait aux tentures de velours mauve mangées aux mites, Jenny ramassa les tisonniers, qu'elle soupesa. Il travaillait vite, et il ne lui fallut pas plus de deux minutes pour les nouer bout à bout, puis s'en draper comme d'une toge.

— Lord Quinn ? appela une voix. Lord Quinn, êtes-vous prêt ?

Silence.

Deck échangea un regard avec Jenny, et, sans plus d'hésitation, se hissa sur le rebord de la fenêtre et sauta sur la colonnade qui surplombait un profond fossé. Heurtant le ciment, il se raccrocha à la tête d'une statue, malheureusement trop fragile pour supporter son poids. Une craquelure apparut le long du cou et son perchoir se mit à vaciller.

Retenant son souffle, Jenny le vit opérer un rétablissement pour s'agripper au torse avant de se recevoir sur le rebord qui séparait les deux rangées de statues. La tête de la première s'écrasa dans le fossé, mais Deck s'était déjà tourné vers Jenny.

Elle lança l'un après l'autre les deux tisonniers comme des javelots. Deck les attrapa au vol et lui fit signe de le rejoindre.

Après un dernier regard derrière elle, Jenny se lança dans un saut de l'ange, les bras écartés. L'atterrissage fut parfait, entre deux statues à la droite de

Deck. Il lui entoura la taille du bras pour l'empêcher de basculer en arrière. De son perchoir, le mur d'enceinte lui parut encore plus vertigineux que de la fenêtre.

— Raidon doit être quelque part dans le coin, dit-il en nouant l'un des rideaux autour d'une statue. Mais il ne pourra rien pour nous tant qu'on ne sera pas en bas.

Ils se trouvaient à proximité de la ruelle où la foule des chasseurs les avait acculés le jour de leur arrivée.

Déjà, des balcons du Parlement, les dandys les avaient repérés et leur lançaient toutes sortes d'anathèmes.

C'était maintenant ou jamais.

Deck s'accroupit pour examiner la surface de ciment, à la recherche de quelque anfractuosité qui leur permettrait d'y poser le pied.

Derrière eux, les gens semblaient jaillir de partout, s'assembler aux fenêtres. Les gardes n'allaient pas tarder à débouler.

— Ils vont chercher des armes, l'avertit Jenny. Et regarde en bas ! Ils ont déjà sorti les hybrides.

— On n'a plus le temps, déclara Deck.

— Comment ça ? On y va !

— On n'a plus le temps de descendre et de s'enfuir. L'un de nous va descendre en rappel, et l'autre se servir des tisonniers. Il faut trouver quelque chose…

Il s'interrompit tandis que les membres du Parlement quittaient les balcons et disparaissaient à l'intérieur du bâtiment.

— Jenny, tu suis le mur en direction du poste de douane, et tu descends quelque part là-bas. Moi, je vais le faire d'ici.

— Attends, on peut descendre tous les deux d'ici. Je vais te suivre.

— Non. Il faut nous séparer. Je reste dans le quartier parce que je dois y retrouver Raidon. Ce sera plus sûr si tu empruntes un autre chemin. Après quoi, tu n'auras plus qu'à te fondre dans la foule. Quant à moi, je dois retourner à la station.

— Quoi ?

Il ne la regardait même pas. Il lui disait juste de s'en aller. Seule. Abasourdie, elle tâchait d'enregistrer, de comprendre ce que cela signifiait. Sans compter que s'il ne venait pas avec elle, s'il ne quittait pas Newgate immédiatement, il mettait sa vie en danger.

— Je descends ici, et toi, là-bas, reprit-il avec impatience. Il faut que je retourne à la station sans attendre.

Il consulta sa montre d'un air affairé, tandis que des dizaines d'émotions contradictoires s'emparaient de Jenny.

— Tu n'as pas l'intention de détourner leur attention sur toi, j'espère ?

Elle ne voyait pas d'autre explication, mais savait qu'il ne l'admettrait jamais.

— Écoute, maugréa-t-il, on se sépare ici parce qu'il n'y a pas d'autre solution. De toute façon, c'est moi qu'ils veulent. Si on reste ensemble, tu risques ta vie. Alors je vais retourner chez ton armurier pour remplacer ce qu'on a perdu à l'aller. Je prendrai un hybride et, si tu me donnes le navigateur GPS, je retrouverai les mêmes raccourcis. Tout ira bien.

— Génial ! railla-t-elle.

Elle lui prit le visage entre les mains, se demandant si ce n'était pas la dernière fois qu'elle le touchait, la dernière fois qu'elle le voyait.

— Regarde-moi. Tu te rends compte du nombre de gens qui te recherchent ? Le Parlement a certainement déjà vendu les informations te concernant à Kyber. Et même s'il ne les croit pas, même si tu leur échappes aujourd'hui, qu'ils ne te tuent pas, ils ne te lâcheront plus. C'est le monde entier qui va se lancer à tes trousses – et à celles des Messagers de l'Ombre. Il faut qu'on parte d'ici, qu'on quitte l'Australie.

— Non !

L'attrapant par la taille, il entreprit de lui faire les poches, récupéra son GPS.

— Non ? répéta-t-elle. Comment ça, non ?

— J'ai dit non. Tant pis s'ils savent que je suis à l'origine de ces diffusions. Je n'avais pas prévu de démarrer l'opération milice si tôt, mais apparemment, nous allons devoir mettre sur pied une force défensive puissante – et une politique de sécurité plus puissante encore. Le fait est que je dois retrouver Raidon avant qu'il ne se lance dans un raid bris de glace du genre de celui que tu avais entrepris la dernière fois.

Il noua le rideau autour de sa taille, puis se mit en position de rappel.

Jenny regardait frénétiquement autour d'elle, mais il n'y avait rien qu'elle puisse faire pour l'arrêter.

Il testa le rideau pour s'assurer qu'il était solidement arrimé, puis sortit de sa poche de poitrine une enveloppe écornée qui devait être là depuis le début du voyage et la tendit à Jenny.

— Ce combat est le mien, souffla-t-il. Il est temps pour toi de partir.

Elle ouvrit lentement l'enveloppe, puis leva les yeux sur lui et murmura d'une voix brisée :

— Tu rigoles ?

Il y avait là la clef digitale d'un appartement sécurisé, de l'argent, un visa de sortie et le code d'accès d'un compte en banque à Macao. Elle referma vivement l'enveloppe et voulut la lui rendre.

— Tu n'es pas sérieux. Je ne peux pas prendre ça.

— Tu crois ? fit-il en la regardant bizarrement.

Elle tressaillit. Comme il ne reprenait pas l'enveloppe, elle la posa sur le ciment, à ses pieds.

Il finit par la ramasser en poussant un soupir.

— Je n'irai pas jusqu'à prétendre que tout s'est passé comme je le souhaitais, ni que je ne suis pas déçu par certains de tes choix. Ou par certains des miens. Tu as fait de ton mieux pour survivre. Je ne peux pas… Tu as mérité ceci, conclut-il d'une voix cassée.

— Deck…

Il lui saisit le poignet.

— Tu l'as bien mérité. Prends cette enveloppe et file.

La chose avait au moins le mérite d'être claire. Ils n'étaient pas destinés à vivre ensemble. Triste victoire. Sans Deck, elle n'avait plus personne vers qui se tourner. Et sans cette enveloppe… elle n'avait nulle part où aller, conclut-elle en s'en emparant à contre-cœur, les joues en feu.

Il la lâcha, ses doigts s'attardant sur son poignet, fléchit les genoux et entama sa descente.

La gorge serrée, les yeux brillants de larmes, elle regarda la distance se creuser entre eux. En agissant ainsi, il lui donnait le maximum de chances de s'en tirer, elle ne l'ignorait pas.

Elle espérait seulement que, au fond de lui, il savait combien elle l'aimait. Et ne pouvait que regretter de ne pas le lui avoir avoué.

— File, Jenny! cria-t-il alors qu'elle ne le voyait pour ainsi dire plus. Rentre chez toi.

File. Apparemment, c'était ce qu'elle faisait de mieux dans la vie.

27

Jenny ramassa les tisonniers et courut entre les deux rangs de statues. Des coups de feu retentirent, des échelles se dressèrent le long du mur.

Elle accéléra l'allure tandis que des morceaux de statues volaient en éclats autour d'elle.

Elle ne s'en sortirait jamais. Soit elle allait se prendre une balle, soit elle allait dégringoler au beau milieu de la cour du Parlement. Charmante perspective.

Il s'agissait de réfléchir, et vite. Devant elle s'étiraient des fils de télécommunications. Deux réseaux se croisaient au-dessus du mur pour redescendre en parallèle vers des poteaux plantés en contrebas dans la rue. Au milieu d'une nouvelle salve, Jenny lança un tisonnier. Il heurta les fils. Pas d'étincelles, pas d'électricité, rien.

Les fils n'étaient pas branchés. Ce qui n'avait rien de surprenant. À Newgate, l'électricité n'était quasiment plus distribuée par voies aériennes ; c'était trop facile à saboter.

Une balle manqua Jenny d'un cheveu. Il était temps de s'éclipser. Elle évalua la distance, glissa le deuxième tisonnier dans sa botte et bondit pour attraper le fil le plus proche. Une bouffée d'adrénaline fusa dans ses veines. Elle assura sa prise avant de lâcher une main pour se saisir du tisonnier qu'elle posa à plat sur les deux fils.

Il fallait avoir la foi pour oser s'accrocher ensuite à chaque extrémité de la barre de fer. Celle-ci se mit aussitôt à glisser vers le poteau en contrebas. Jenny l'atteignit pieds en avant, pour amortir le choc, puis se laissa glisser le long jusqu'à terre Il ne restait plus qu'à se mêler à la foule. Par pur réflexe, elle chercha Deck des yeux. Avait-il retrouvé Raidon ? Était-il même vivant ? S'inquiétait-il à son sujet ?

Normalement, après un tel exploit, elle aurait dû éprouver un sentiment de triomphe. Mais elle se contenta de lâcher le tisonnier dans le caniveau et de fondre en larmes. Elle pleurait sur les choix qu'elle avait faits, sur les occasions qu'elle n'avait su saisir, sur ce qu'elle comprenait trop tard, sur ce qu'elle n'aurait jamais…

Voyant quelques curieux commencer à rôder autour d'elle, elle se dirigea en hâte vers le poste de douane où se pressait la foule des nouveaux arrivants.

Dans la grande salle, ceux qui partaient n'étaient séparés de ceux qui arrivaient que par une corde. Les premiers étaient bien moins nombreux que les derniers. Tandis qu'elle progressait dans sa file d'attente, l'attention de Jenny fut attirée par… deux gardes en uniforme du royaume d'Asie, apparemment en train de prendre un repas sur le pouce ! Que fabriquaient-ils donc au centre d'immigration de Newgate ? L'un était jeune, avec les cheveux en brosse, l'autre, beaucoup plus âgé, avait le visage marqué par la variole et brûlé par le soleil. Elle ne reconnut aucun des deux.

Elle eut beau se dire que cela ne la regardait plus, qu'elle en avait fini avec cette histoire, elle s'arrêta net.

L'inspecteur des visas l'interpella :

— Hé, vous ! Vous avez un visa de sortie ou non ?

— Euh… oui, j'en ai un. Une seconde. Je sais plus où je l'ai fourré…

Elle laissa passer les gens qui la suivaient et, mine de rien, se rapprocha des deux gardes et feignit de chercher son visa.

— Franchement, grommela le plus jeune, on devrait toucher une prime de risque. Ça sent pas bon, tout ça, tu ne trouves pas ?

L'aîné secoua la tête.

— Mon frère a servi sous les ordres du prince, et il m'a dit que c'était un type réglo. Mais c'est vrai que ça semble bizarre.

Silence lourd de sous-entendus.

— Je peux voir les ordres ? risqua le jeune.

— Hé ! tu te fiches de moi ? Ça, ça mériterait deux baffes.

L'autre se renfrogna, puis marmonna :

— Ne me raconte pas que Kyber soutient la révolution.

— Dis-toi que ça lui convient tant que ça affaiblit l'ennemi et pas nous. On doit rester forts.

— D'accord. Alors on est là pour le tuer ?

Jenny sursauta.

En guise de réponse, l'aîné flanqua au plus jeune une claque à l'arrière du crâne. Puis, jetant un coup d'œil soupçonneux autour de lui, il murmura :

— Va falloir apprendre à la boucler, gamin ! Ces trucs-là, ça ne te regarde pas. Tu fais ce que je te dis, un point c'est marre. Crois-moi, si on remplit notre mission correctement, Kyber sera très content.

Là-dessus, il jeta l'emballage de son sandwich dans une poubelle, et les deux hommes s'éloignèrent.

Eh bien, songea Jenny, voilà qui expliquait bien des choses sur les relations entre le Parlement et la Maison des Han. Voilà pourquoi ils cherchaient tout à coup à s'emparer de Deck. Afin d'avoir prise sur Kyber. Mais pourquoi ? Pour quelle raison ? Que Kyber en veuille ou non à son frère, celui-ci demeurait une importante figure politique potentielle.

L'inspecteur s'approcha d'elle.

— Vous ne pouvez pas rester là, dit-il d'un ton sévère. Vous l'avez, ce visa, ou pas ?

Elle sortit le document de sa poche et le lui tendit, puis alluma son communicateur.

— Quelqu'un me reçoit? demanda-t-elle dans l'appareil en s'efforçant de ne pas laisser paraître son angoisse.

L'inspecteur débita d'une voix monocorde le discours mille fois répété:

— Veuillez noter que vous allez devoir passer la sécurité puis le contrôle d'immunisation avant de quitter le territoire. Si vous pensez ne pas pouvoir embarquer aujourd'hui, si vous n'avez pas assez d'argent pour régler les taxes de sortie, nous vous recommandons de prendre le convoi suivant. Avez-vous des questions à poser?

Secouant son communicateur comme s'il ne fonctionnait pas bien, elle fit non de la tête.

— Deck, tu me reçois?

Grésillements.

L'homme tamponna son visa avec un portable à infrarouge, puis lança un coup d'œil à son communicateur.

— Vous êtes le 8675309. Les numéros impairs en partance pour Macao doivent se rendre à la porte C9. Veuillez vous diriger vers le poste de contrôle.

Jenny jura entre ses dents et changea de fréquence. Elle eut beau insister, recommencer, pas de Deck.

Au contrôle, une dame d'âge mûr lui demanda son visa en souriant.

Prise d'un doute affreux, Jenny le lui tendit avec brusquerie. Deck ne répondait pas. Il ne devait pas se douter que des gardes impériaux le cherchaient, des poursuivants infiniment plus dangereux que la populace de Newgate. Mais peut-être était-il déjà prisonnier? Peut-être…

— Contrôle des microbes, mademoiselle.

La dame lui désigna une porte. Plus que quelques obstacles et elle allait pouvoir rentrer chez elle. Chez elle.

Cela n'avait aucun sens sans Deck. Elle ne voulait pas que cela se termine ainsi. Qu'il lui offre ce qu'il lui avait promis, alors qu'il n'était pas content d'elle. Elle n'avait aucune envie de s'en aller en laissant derrière elle une situation chaotique dont elle était en grande partie responsable. Impossible…

Arrachant son casque, elle le fourra dans sa poche et fit demi-tour.

— Ne faites pas ça! s'écria la vieille dame en attrapant Jenny par la manche. Vous avez déjà perdu votre visa. Quoi que vous laissiez derrière vous, oubliez-le!

Jenny ferma les yeux et sentit la sueur lui couler le long de la colonne vertébrale. Elle était encore tentée de fuir. Mais sans Deck, cela ne ressemblait à rien.

Et s'il était trop tard? Oui, une fois encore elle l'aurait manqué de peu… Quoi qu'il en soit, il ne serait pas dit qu'elle n'aurait pas essayé.

Ses pensées devaient être écrites sur sa figure.

— Vous allez le regretter, l'avertit la vieille dame. Partez, ma petite, sans vous retourner.

— Je ne peux pas! cria-t-elle avec désespoir, consciente d'être sur le point de commettre un acte irréversible.

S'arrachant à la main de la vieille dame, elle rebroussa chemin, tout en luttant contre l'instinct de fuite qui l'avait guidée sa vie durant.

La révolution avait besoin d'elle. De même que ceux qui avaient un jour vécu dans la rue, qui avaient enduré la peur, la misère et l'injustice, elle méritait de connaître une vie meilleure.

Mais surtout, Deck avait besoin d'elle. Il n'y aurait pas de vie meilleure sans lui. Et si elle ne faisait rien, ils lui mettraient la main dessus. Quels qu'« ils » soient.

Franchissant la sortie au pas de course, elle fonça chez l'armurier. Quelques minutes plus tard, elle cognait à la porte, à bout de souffle. Le judas s'ouvrit sur un œil inquisiteur. L'homme la reconnut et lui ouvrit. Elle se glissa à l'intérieur et il referma vivement derrière elle.

— Les deux types avec lesquels je suis venue l'autre jour, demanda-t-elle sans détour. Ils sont toujours là ?

— Non.

Il n'en dit pas davantage.

Fouillant dans sa poche, elle en sortit l'enveloppe d'une main tremblante et déposa une liasse sur le comptoir.

L'homme baissa les yeux sur la pile de billets, le visage impassible.

— Si vous voulez les rattraper, il va falloir prendre mon hybride le plus rapide. Je vous donnerai toutes les munitions que vous pourrez emporter, mais vous avez intérêt à voyager léger. Vous pouvez laisser ici ce que vous avez en trop, vous le récupérerez à votre retour.

Jenny déglutit. Deck était vivant ! Il avait réussi à échapper aux hommes du Parlement et à retrouver Raidon.

Elle posa son sac à dos sur le comptoir, en sortit sa gourde et une trousse de secours, glissa deux couteaux dans les holsters fixés à ses cuisses, mais hésita devant les gantelets.

— Vous voulez les échanger contre autre chose ? proposa l'armurier.

— Non, je les garde, décida-t-elle en les attachant à ses poignets. Ils ont une valeur sentimentale.

Il déposa son sac sur une étagère. Comme elle se détournait, un placard ouvert retint son attention.

— Qu'est-ce que c'est que ça ?

— C'est pas vos oignons.

L'homme allait fermer le battant quand elle glissa le pied dans l'interstice et passa la tête à l'intérieur. Deux vestes portant sur la manche l'écusson de l'UCT étaient suspendues à un portemanteau.

Son cœur se mit à battre à coups redoublés.

— Qu'est-ce qu'elles font là ? Quand est-ce que vous les avez eues ?

Il demeura muet.

— S'ils ne portent pas leur uniforme, insista-t-elle, c'est qu'ils voyagent incognito. Je viens de vous donner beaucoup d'argent. À quoi est-ce qu'ils ressemblent ?

— Écoutez, Jenny, je ne veux pas prendre parti. Je fais des affaires avec tout le monde et je ne veux trahir personne. Je vous en ai dit plus qu'à n'importe qui d'autre. Les gens qui viennent m'acheter mes marchandises, je ne leur demande pas leurs opinions politiques.

— Un petit effort !

— Ah non ! Pas de ça avec moi. Les cajoleries, ça ne marche pas !

— Et les menaces ?

Il blêmit. Elle avait dirigé l'un de ses gantelets droit sur son bas-ventre.

— À bout portant ! railla-t-elle. Ouille !

Il se racla la gorge.

— Bon, d'accord. Mais c'est bien parce que c'est vous. Les gars de l'UCT sont arrivés après vos amis et m'ont posé un tas de questions embarrassantes. Ils voulaient me piéger. Au début je n'ai pas marché, et puis ils m'ont demandé un moyen de transport rapide. Qu'ils proposaient de payer très cher. Alors je le leur ai procuré. Voilà.

Pas de doute, il y allait avoir du grabuge avant la nuit...

— Vous avez reçu d'autres visites aujourd'hui ?

— Juste vous trois, enfin vous cinq, vos deux amis, les deux types de l'UCT et vous.

— Personne du royaume d'Asie ?

— Pas aujourd'hui, mais, avec la chance qui me caractérise, ça ne devrait pas tarder. Euh... vous pourriez pointer ceci ailleurs ? ajouta-t-il en désignant le gantelet.

Avec un petit rire, Jenny obtempéra.

— Merci. Je vais vous chercher votre monture.

Il revint quelques minutes plus tard avec un hybride noir qui piaffait d'impatience.

Exactement ce dont elle avait besoin...

28

Deck tira sur les rênes et son cheval se cabra en hennissant.

Raidon lui lança un coup d'œil par-dessus son épaule.

— Un problème ?

— J'aurais dû m'assurer qu'elle avait bien passé la douane. Si jamais elle a été repérée en ma compagnie...

— Je suis sûr qu'elle s'en est tirée.

— J'aurais dû attendre de la voir partir de mes yeux.

— Elle s'en est tirée.

Raidon inspecta avec inquiétude le paysage alentour.

— Et si...

Et si elle avait finalement décidé de ne pas partir ?

Raidon dut deviner ses pensées, car il déclara :

— Écoutez, elle a reçu un paquet d'argent et un passeport pour la liberté. Elle ne s'attardera pas à Newgate. Franchement, je me soucie d'elle autant que vous, mais vous et moi sommes bien placés pour savoir qu'elle est tout à fait capable de se débrouiller. Retourner là-bas reviendrait à se jeter dans la gueule du loup. Avec le mal que nous avons eu pour nous en sortir...

Deck devait maintenant sa monture d'une main de fer.

— Je ne peux pas faire ça.

— Vous ne pouvez pas courir le risque...

Le garde du corps s'interrompit. Un cavalier fonçait dans leur direction au triple galop, soulevant un nuage de poussière.

Les deux hommes dégainèrent d'un même mouvement. C'est alors que Deck faillit lâcher son fusil, se demandant s'il n'était pas soudain victime d'une hallucination. Mais l'expression préoccupée de Raidon venait de faire place à un large sourire, confirmant qu'il ne rêvait pas.

C'était un spectacle fabuleux! Ses cheveux roux volant dans son dos, chevauchant comme une diablesse, Jenny hurlait à pleins poumons:

— L'UCT a débarqué!

S'il n'avait brûlé de la prendre dans ses bras et de l'embrasser, Deck l'aurait étranglée pour être revenue.

— Ils savent où tu es! cria-t-elle. Le Parlement t'a vendu au plus offrant. À présent, tu as le monde entier à tes trousses. Je ne plaisante pas.

Son cheval rua et se cabra. Deck en saisit les rênes pour le calmer.

— Bon sang, qu'est-ce que tu fiches ici? Tu devrais être au-dessus de l'océan, en ce moment.

Elle leva le menton.

— J'allais partir quand je les ai croisés. Kyber est au courant, Deck. Il a envoyé des hommes à ta recherche. Je les ai vus à la douane. Ils ont emprunté la route qu'on avait prise avec les jeeps, et ne devraient plus tarder à nous rejoindre. Tu n'as plus le temps.

— Écoute-moi, tu veux? dit-il en s'efforçant de garder son calme. Tu fais volter ton cheval et tu te casses d'ici.

— Et après? Tu comptes te battre seul contre eux? Ils sont trop nombreux. Ça sent très mauvais, Deck. Tu m'as embauchée pour t'aider, laisse-moi faire mon boulot.

— Rentre chez toi.

— Je ne peux pas.

— Si.

— Non. Mon visa n'est plus valable.

Deck lâcha un juron. Elle pourrait encore partir si elle leur filait un gros dessous-de-table, mais il fallait sans doute davantage que ce que contenait l'enveloppe.

— Mais pourquoi, bon sang ? *Pourquoi ?*

— Parce que c'est important. Pas seulement la révolution mais tout le reste, et surtout toi. Je me moque d'être coincée ici, ou d'avoir l'air d'une idiote, ou même que Raidon ne me trouve pas assez bien pour toi. Je suis revenue, parce que, sans toi, Newgate ou le paradis, c'est du pareil au même. Voilà. Je n'aurais jamais cru qu'un jour je serais capable de tout sacrifier pour quelqu'un. Mais bon, on est humains, on peut se tromper. Alors, cette mission, je la termine avec toi, quoi qu'il arrive.

Il ne savait plus que dire.

— Jenny…

— Je t'aime, Deck.

— Nous allons avoir de la compagnie ! annonça Raidon en indiquant du doigt un nuage à l'horizon.

— Qu'est-ce qu'on fait ? demanda Jenny.

— J'ai un pistolet avec deux chargeurs, dit le garde du corps, trois grenades et un couteau à cran d'arrêt si ça doit vraiment se gâter.

— Ça devrait vous suffire pour vous permettre de rejoindre la station, décida Deck.

Ses compagnons le considérèrent avec stupéfaction.

— Hé ! s'exclama Jenny, tu ne vas pas nous jouer la grande scène du je-t'aime-tant-que-je-ne-peux-pas-te-laisser-mourir ?

Il parvint à sourire.

— Je vais aller à leur rencontre et les entraîner ailleurs pendant que vous filerez à la station, Raidon et toi. Reste avec les Messagers de l'Ombre le temps qu'ils t'obtiennent un nouveau visa. Mais pour l'instant…

Le sol se mit à vibrer tandis que les cavaliers se rapprochaient.

— Et si l'un de ces types vous poursuit, tu t'en chargeras, Jenny. Mais il faut partir avec Raidon maintenant.

— C'est du suicide! protesta-t-elle. Tu ne peux pas faire une chose pareille.

— Il n'y a pas d'autre solution. Filez vous occuper des gens de la station. J'ai déjà mis en route le déménagement, avec le mirage. Raidon, ajouta-t-il, à toi de superviser le tout et de lever une petite milice de secours.

Ôtant son casque, il le lui tendit.

— Canal 6. Prends-le.

Jenny semblait complètement anéantie. Et il ne pouvait lui en vouloir. Elle venait de lui avouer son amour, et pour toute réponse… Mais ils n'avaient plus le temps.

— Monsieur…

— Plus de « monsieur », s'il te plaît.

Raidon eut un sourire hésitant.

— Tu as compris ce que j'attendais de toi? enchaîna Deck.

Le martèlement des sabots enflait à mesure que les cavaliers approchaient. Raidon arborait une drôle d'expression.

— J'ai compris, répondit-il fermement.

Jenny lui lança un regard surpris tandis que Deck esquissait un sourire. Le garde du corps n'avait pas protesté, n'avait pas argué de son devoir moral ni de son serment à la famille impériale. Il était prêt.

— Tu feras un chef remarquable, déclara Deck. Tu en as toujours eu les qualités. Mais tu me manqueras, mon ami.

Il lui tendit la main.

Avec un lent sourire, Raidon s'en saisit.

— S'il y a une justice en ce monde, nous nous retrouverons, je vous le promets… Deck.

Ils se serrèrent la main, enfin sur un pied d'égalité.

— Prends soin d'elle, ajouta Deck en désignant Jenny.

— Prête ? demanda le garde du corps.

Sept cavaliers surgirent en haut d'une dune. Ils fonçaient ventre à terre, le sable tourbillonnant sous les sabots de leurs montures.

— Vas-y ! la pressa Deck. Suis Raidon.

Mais elle ne bougea pas.

— Jenny ! insista-t-il en lui prenant la main. Ce n'est pas ton combat. Tu n'as rien à prouver. Ni à moi ni à personne. Ils vont te tuer.

On distinguait à présent les uniformes de gardes Han et de l'UCT, ainsi que les silhouettes de quelques Parlementaires en haut-de-forme. L'étrange coalition ! Cela faisait plaisir de songer que la révolution les menaçait tous autant qu'ils étaient.

Sans un mot, Jenny sortit son revolver, vérifia qu'il était chargé, se préparant visiblement au combat.

Devinant qu'elle s'apprêtait à partir à l'assaut à sa suite, Deck lui arracha des mains les rênes de son cheval et les lança à Raidon.

— Allez ! cria-t-il.

Puis, sans un regard en arrière, il piqua des deux droit sur ses ennemis.

Jenny tenta à toute force de récupérer ses rênes. Les mains crispées sur les lanières de cuir, elle tira dessus en implorant le garde du corps :

— Laissez-moi le rejoindre, je vous en supplie !

— Arrêtez de tirer ainsi ou vous allez tomber quand je vais les lâcher.

Elle obéit, et il lui rendit les rênes.

— Je ne suis plus sous les ordres de Deck, dit-il avec un sourire. Et puis, si deux personnes sont bien faites l'une pour l'autre... Disons que vous vous valez bien, tous les deux. Je vous dois des excuses.

— Merci, Raidon. À moi aussi, vous allez me manquer.

Elle eut à peine le temps de lui adresser un sourire doux-amer que les premiers coups de feu retentissaient. Éperonnant son cheval, elle partit dans une direction, et lui dans l'autre.

Elle volait littéralement sur le sable, les yeux rivés sur Deck, au loin, qui avait déjà désarçonné deux adversaires.

Elle en visa un troisième. Le rata. Et se maudit intérieurement de ne pas s'entraîner suffisamment au tir.

L'homme l'avait repérée. Il fit volter son cheval et dirigea son arme vers elle, s'apprêtant à tirer pratiquement à bout portant. À cet instant, sa monture fit un écart, effarouchée par le cri que Deck avait poussé pour avertir Jenny.

Se hissant sur ses étriers, celle-ci bondit sur l'homme, et tous deux roulèrent à terre. Ils se relevèrent d'un même mouvement et se retrouvèrent face à face, désarmés.

Il lança les hostilités en lui décochant un coup de poing qui la cueillit par surprise. Le temps qu'il cherche son arme du regard, elle en profita pour lui balancer son pied en pleine tête. Il s'affala sur le dos, mais n'était pas hors d'état de nuire pour autant.

Du coin de l'œil, elle vit qu'un garde UCT, un Han et un membre du Parlement tenaient Deck à leur merci. Ils semblaient se disputer pour décider de son sort.

Jenny sentit la peur lui nouer les tripes ; il fallait qu'elle se débarrasse au plus vite de son adversaire, qui s'était relevé et se tenait en position d'attaque.

L'éclat d'un fusil dans le sable attira son regard. Elle se tapit sur elle-même, comme si elle s'apprêtait à sauter de nouveau sur l'homme, mais lorsque celui-ci plongea sur elle, elle fit un écart, ramassa le fusil et lui tira une balle dans le crâne.

Il tomba à la renverse, l'air totalement surpris.

— Je vais lui donner un sédatif ! entendit-elle le parlementaire annoncer à ses compagnons.

Elle pivota sur ses talons tandis que celui-ci s'approchait de Deck avec une seringue.

— Ce n'est pas un sédatif, c'est de l'opium ! hurla-t-elle.

— Qu'est-ce que ça signifie ! intervint le garde Han. Ça ne faisait pas partie de notre accord. Si vous le tuez, je vous tue.

D'un coup de pied, il envoya promener la seringue qui explosa sur sa botte, répandant son contenu sur le visage de Deck.

— Essuie-toi la figure ! cria Jenny qui volait déjà à son secours.

Le dandy la plaqua au sol.

— Voilà bien la plus jolie adversaire que j'aie jamais eue ! lâcha-t-il en lui reniflant les cheveux.

Il referma les mains autour de son cou, et alors même qu'il l'étranglait, elle crut mourir de dégoût tant il empestait.

Elle se débattit, lui agrippa les poignets, sans parvenir à se libérer. C'est alors qu'elle se rappela ses gantelets.

Au bord de la suffocation, elle porta la main au cou de son adversaire et actionna la détente. Le crochet jaillit, l'homme bondit en arrière en hurlant, la gorge en sang. Jenny bascula de côté tandis qu'il s'affalait sur le sol dans un dernier râle.

Elle demeura un instant immobile, s'efforçant de retrouver son souffle. C'est alors qu'elle vit le soldat de l'UCT appuyer une lame contre le cou de Deck.

— On ne peut pas le tuer, déclara le garde Han. Il n'en a jamais été question

L'autre ricana.

— Tu n'as qu'à prendre la fille.

Jenny s'humecta les lèvres. Eh bien, au moins, elle savait à qui elle avait affaire.

— Ce n'est pas ce qui a été décidé avec le Parlement! protesta le Han. Ils veulent qu'on ramène le prince.

— Au cas où tu n'aurais pas remarqué, ils mentaient.

— Attends, on peut discuter.

Autour d'eux, les hybrides piaffaient, visiblement affolés.

— Tout ce que je demande, insista le Han, c'est de ramener le prince vivant au royaume d'Asie. Toi, tu as déjà perdu un compatriote. Personne ne t'en voudra si tu ne rentres pas avec le prince. Prends la fille, récupère les primes, tu n'y perds pas au change.

— C'est moi qui prends la fille! gronda Deck.

Sur quoi, il envoya promener son adversaire, récoltant une estafilade dans le bras au passage.

Le Han se jeta sur le garde de l'UCT; leurs lames scintillèrent au soleil. Un premier assaut, et l'un des couteaux valsa dans les airs. Avec un grand geste, le garde de l'UCT sortit son revolver et l'agita follement dans leur direction.

Toujours à terre, Jenny se demandait ce qui l'empêchait d'exécuter Deck sur-le-champ.

Clignant des yeux, elle se redressa lentement… et comprit que le garde de l'UCT n'en avait plus pour longtemps; une gerbe de sang jaillissait de son ventre.

— L'un de vous vient avec moi! ordonna-t-il d'une voix rauque. Toi.

Il désigna Deck de son canon. Ce dernier échangea un regard avec Jenny, puis, poussant un cri à l'unisson, ils se jetèrent sur le garde, Deck visant le haut du corps, Jenny le bas.

Alors qu'il s'effondrait en arrière, son arme se vida dans le ciel. Rassemblant ses dernières forces, Jenny lui enserra les jambes, et se sentit sombrer.

Elle n'aurait su dire combien de temps elle demeura inconsciente. La voix de Deck lui parvint de très loin:

— Jenny ?

Elle battit des paupières ; il était à genoux près d'elle.

— Tu es vivant, articula-t-elle. Tant mieux.

La litote de l'année ! Mais elle pouvait à peine parler, encore moins réfléchir.

— On a gagné, lui annonça-t-il.

— Tu n'es pas beau à voir, murmura-t-elle. Tu saignes.

— Tu n'es pas tellement mieux.

Elle s'en doutait.

— Tu as des médocs ? s'inquiéta-t-elle. Ton bras est salement ouvert.

— Ce n'est pas si grave, assura-t-il. Je vais m'en occuper dans un instant.

Elle tourna la tête, et ce simple mouvement lui arracha un juron. Avec un grognement, elle voulut se redresser. Deck s'empressa de l'aider, la fit asseoir avec mille précautions, et la tint contre lui.

— Tu es une sacrée bagarreuse, murmura-t-il en lui caressant les cheveux.

— Je sais, oui.

Le soldat Han s'occupait des blessures de son collègue plus jeune qui avait été parmi les premiers à tomber. Cinq corps sans vie gisaient sur le sol autour d'eux.

— Eh bien, commenta-t-elle, ça ne va pas arranger mes affaires avec le Parlement.

— Il va nous falloir quitter Newgate sans attendre. D'autant que j'ai dû ingérer une certaine dose d'opium. J'ai intérêt à me tenir éloigné le plus possible du Parlement tant que je ne l'aurai pas évacuée de mon organisme.

— Se tenir éloigné du Parlement me convient tout à fait, acquiesça-t-elle. Du moment que c'est avec toi.

Il l'embrassa sur le front.

— À propos de ma grande scène du je-t'aime-tant-que-je-ne-peux-pas-te-laisser-mourir…

Elle leva sur lui des yeux embués.

Il la souleva dans ses bras et se dirigea vers les chevaux.

— Tu n'as pas fini d'y avoir droit, alors autant t'y habituer dès maintenant. Je veux que tu sois heureuse, Jenny. Et vivante. Parce que je t'aime.

Elle l'embrassa tendrement.

— Il serait temps !

29

Pour le retour à Macao, Jenny et Deck eurent droit à une rame complète pour eux seuls, chacun disposant d'un rang entier de sièges pour s'allonger. Mais Deck ne voulut pas en entendre parler. Il exigea que Jenny demeure près de lui, ce qu'elle accepta volontiers.

S'appuyant soudain sur le coude, elle suggéra :

— Tu sais, une fois à Macao, pourquoi ne pas continuer plus loin ?

— Toujours à fuir, Jenny ?

— Ce n'est pas pour moi que je m'inquiète. Tu es certain que Kyber ne risque pas de t'accuser de haute trahison ? C'est ça ton plan, pas vrai ? Aller le trouver au palais et t'expliquer avec lui ? Je t'ai entendu le dire à ces gardes Han.

— Faire la paix avec lui me paraît le plus intelligent, même si j'admets que le contentieux qui existe entre nous ne s'effacera pas aisément. Quant à l'accusation de haute trahison, j'en doute. L'idée d'avoir un intermédiaire entre la révolution et son régime devrait lui plaire. Ou alors je ne connais pas mon frère.

— Voilà qui me console ! grommela-t-elle. Kyber ou pas, il reste encore du boulot. Ce n'est pas parce que la Voix de l'Ombre émet de nouveau que c'est gagné. Même si tu ne les diriges plus directement, tout le monde sait que les Messagers de l'Ombre vont nous concocter quelque chose du côté de Newgate... Hé ! Qu'est-ce qui te fait sourire ?

— Toi. Tu t'entends parler ? Cette révolution est devenue la tienne. Si tu savais comme ça me fait plaisir ! On va donc se battre ensemble ?

— Y a intérêt !

— Parfait. Je commence vraiment à croire que nous étions destinés l'un à l'autre.

— Si tu le dis... murmura-t-elle en s'allongeant contre lui. Ça dépend de la suite des événements.

Il la sentit sourire contre son torse.

— Tu sais, Jenny, j'ai beaucoup réfléchi. La vie, la liberté, la poursuite du bonheur. C'est pour cela qu'on se bat, non ? J'ai obtenu les deux premières, et j'ai découvert que le seul obstacle qui me séparait du troisième, c'était... toi.

Elle s'écarta légèrement pour le regarder.

— Épouse-moi, Jenny, souffla-t-il, tout à trac. Je ne pourrai pas continuer sans toi. Révolution ou pas. Tu es ma vie.

Comme elle le fixait, radieuse, lèvres entrouvertes, Deck en profita pour lui donner un baiser.

— Oui, murmura-t-elle contre sa bouche. Je ne peux tout de même pas te laisser souffrir.

En s'esclaffant, il lui prit la main, entremêla ses doigts aux siens.

— Sais-tu que tu ne m'as jamais raconté comment tu avais fui Newgate la première fois ?

— Je me suis déguisée en vendeuse de cigarettes. Il m'a fallu un an pour gagner de quoi soudoyer la douane.

— Tu portais cette tenue rouge de petit diable ?

— Je te vois venir, l'avertit-elle. N'y songe même pas !

Il ne put réprimer un sourire.

— C'est ce qu'on verra.

— J'étais ridicule ! s'indigna-t-elle. Cela dit, j'ai appris un tas de trucs utiles.

Elle lui caressa les lèvres du doigt, l'air enjôleur.

— Bienvenue en enfer, baby! murmura-t-elle d'une voix sensuelle.

— Waouh, ça devient chaud par ici! Et ça me donne une idée.

Il vérifia que la rame était bien déserte.

— Laquelle? demanda-t-elle.

— On va commencer une autre révolution.

— Encore? Tu essaies de me tuer? ronronna-t-elle en se blottissant contre lui.

— Ne t'inquiète pas, la rassura-t-il. Il n'y aura pas de morts, cette fois.

AVENTURES
&PASSIONS

Retrouvez les romans de la collection
en magasin :

Le 18 août :
La faute d'Anastasia ❧ Johanna Lindsey (n° 5707)
Le plus doux des malentendus ❧ Anne Gracie (n° 8095)

Le 25 août :
Pirate de mon cœur ❧ Kinley MacGregor (n° 8015)

Découvrez les prochaines nouveautés de la collection :

Le 1ᵉʳ septembre :
La vengeance d'un lord ❧ Jillian Hunter (n° 8119)
L'espiègle Chloé est envoyée à la campagne chez son oncle et sa tante. Tous pensent que Dominic, leur voisin, est mort et est devenu un fantôme... Seulement, lorsque Chloé rencontre le « revenant », elle doit se rendre à l'évidence : il est bel et bien vivant ! Et ce séduisant jeune homme l'entraîne dans une folle aventure...

L'enchanteresse perverse ❧ Meagan McKinney (n° 3239)
Pour échapper à son cousin qui veut la tuer, Katleen fuit à La Nouvelle-Orléans où elle devient une habile voleuse. Sa vie bascule le jour où son regard croise celui de Ferringer St Bride à l'instant même où elle tente de le détrousser ! Il ne compte pas laisser repartir si jolie voleuse...

Nouveau ! 2 rendez-vous mensuels
aux alentours du 1ᵉʳ et du 15 de chaque mois.

Le 15 septembre :

Une nuit avec un prince ⚭ Sabrina Jeffries (n° 8121)

Lady Chrisabel doit récupérer des papiers compromettants que son défunt mari a perdus au jeu. Pour cela, elle doit apprendre à manier les cartes comme une professionnelle. Elle demande au célèbre Gavin de l'aider. Celui-ci accepte de bonne grâce, surtout qu'il a, lui aussi, intérêt à retrouver les documents. Entre le maître et l'élève, le charme va agir...

Chère Pénélope ⚭ Sharon Ihle (n° 8120)

Enthousiaste, Lucy rejoint son fiancé Charlie dans le Wyoming et découvre qu'il est tombé amoureux d'une autre... Malgré tout, elle décide de rester. Embauchée comme serveuse, elle tient aussi le « courrier du cœur » du journal local. Entre Charlie et son beau patron Sebastian, elle ne sait que faire...

Nouveau ! 2 rendez-vous mensuels aux alentours du 1ᵉʳ et du 15 de chaque mois.

8079

Composition Chesteroc Ltd
Achevé d'imprimer en France (Manchecourt)
par Maury-Eurolivres
le 25 juillet 2006.
Dépôt légal juillet 2006. ISBN 2-290-35061-3

Éditions J'ai lu
87, quai Panhard-et-Levassor, 75013 Paris
Diffusion France et étranger : Flammarion